中国国家汉办规划教材
体验汉语系列教材

体验汉语®
Experiencing Chinese

基础教程（上）

总策划　刘　援

主　编　姜丽萍

编　者　魏新红　董　政　姜丽萍

译　者　高　晨

高等教育出版社
Higher Education Press

《体验汉语®》立体化系列教材

教材规划委员会

许 琳　　曹国兴　　刘 辉　　刘志鹏
马箭飞　　宋永波　　邱立国　　刘 援

《体验汉语基础教程》（上）

总 策 划　　刘 援
主　　编　　姜丽萍
编　　者　　魏新红　董 政　姜丽萍
译　　者　　高 晨

策划编辑　　祝大鸣　梁 宇
责任编辑　　梁 宇
版式设计　　刘 艳
插图绘制　　吉祥物语
插图选配　　梁 宇　陆 玲
封面设计　　宿燕燕
责任校对　　梁 宇　陆 玲
责任印制　　刘思涵

前　　　言

近年来，随着我国社会经济的迅猛发展，综合国力和国际地位的不断提升，世界范围内学习汉语的人数迅速增加。按照我国教育部的统计，现在世界上学习汉语的人数达到3000万人以上。今年来华留学的人数也首次超过出国留学的人数，达到14万人以上。为此，对各个层次、各种类型的汉语教材的需求也日益受到人们的关注和期待。我们在认真总结我国50多年来对外汉语教学经验，特别是对外汉语教材编写经验，结合自身多年从事对外汉语教学工作的经历和对不同层次来华留学人员调研的基础上，开发了这套适合于初学汉语的各类外国人员的《体验汉语基础教程》系列教材。

该套教材共分上下两册，每册包括24课（每册后附MP3一张），全书共48课，每册在课程结束后编排了测验。主要供200课时的教学使用。本书后续教材包括练习册、教师参考书等。教材内容以功能为主，注重功能与结构相结合。每课由句子、词语、课文、句型操练、趁热打铁、词语扩展、听与说、读与写等构成。

本书遵循汉语国际推广的理念，注重教材的普及性、应用性和趣味性，强调体验式学习理念。具体来说，本教材是这样设计和编写的：

● 培养目标

教材以培养学生汉语听说读写基本技能和基本交际能力为培养目标。以学生将来走出教室便可活用的实用、应用内容为主。同时，注重培养学生学习汉语的兴趣和方法，使学生具有继续学习汉语的动机和愿望。

● 理论基础

本教材借鉴听说法教学的优点，注重在有意义的情境中操练句型，克服机械操练，使学生在不知不觉中掌握301个典型句子；在课文编写上，注意借鉴交际法的研究成果，注重功能和话题，让学生有话可说，能深入交流和扩展；在课堂操练上，注意借鉴任务型教学的研究成果，让学生带着真实的任务去练习，在做中学，在用中学，在体验中学。

● 词　语

本教材涵盖生词约500个，每课生词都有一定量的控制。此外，每课还安排了"词语扩展"栏目，以体现教材的弹性特点。扩展词语均以图画的形式展现，注重词语的形象解释性。

● 课　文

课文内容以学生最熟悉和最需要的学校生活和相关社会生活为主，以帮助学生解决学习和生活中的实际问题。课文中的对话短小、精练、典型，便于学生朗读和背诵。课文语言风趣、幽默，尽量使学生在课文中体验学习汉语的乐趣。文化内容暗含在课文中，使学生在学习课文的过程中逐渐加深对中国文化习俗的了解。

- 注　释

　　本教材没有单设语法模块，而是把语法安排在课文注释中，主要目的是弱化语法讲解，避免为教语法而编课文。在语法项目的安排上，不求一次讲解完一个完整的语法项目，而是学什么解释什么，一个语法项目可能分别出现在几课中。弱化语法解释，尽量以表格、公式的形式展现语法，学生一看就懂，一学就会。注释中除了语法注释以外，还有习惯用法、文化现象、口语中的常用语等方面的注释。

- 汉　字

　　本教材的汉字采用"多认少写，认写分流，逐渐达到认写合流"的模式。开始学的词语不要求都会写，而是根据汉字的特点，从汉字的基本笔画和笔顺入手，逐步增加汉字的构字规律，目的是打下坚实的汉字基本功。汉字的书写由浅入深，由简单到复杂，逐渐向课文中的词语靠拢，最后跟课文中的词语一致。偏旁、部首的出现以在课文中构字能力的强弱为标准，构字能力强的先出，构字能力弱的，即使常用也可能不出。

- 活　动

　　活动部分注重其多样性和层次性，设计简单、明了。本教材注重听说读写全面提高，在练习中设计了以下几个小板块：注重理解和模仿的口语性练习的"趁热打铁"；注重交际和运用的表达性练习"听与说"；注重知识性和书面性练习的"读与写"。"语音练习"和"汉字练习"贯穿本书始终。

- 版　式

　　本教材的版式设计淡雅简洁，图文并茂。针对成人学习的特点，采用了简易画、图片、照片等形式，使内容更加真实、生动。

　　我国对外汉语教学知名教授、北京语言大学鲁健骥先生在百忙之中审阅了全部书稿。高等教育出版社国际汉语出版中心的编辑们在本教材的策划、设计、编写等方面提供了许多富有建设性的建议，在此，谨表示诚挚的谢意。

　　愿本教材成为你步入汉语世界的向导，成为你了解中国的桥梁。

姜丽萍

2006 年 6 月

Preface

With the remarkable development of China's society and economy and the rise of the country's international status, the number of people throughout the world learning Chinese has increased rapidly. According to the Ministry of Education, more than 30 million people worldwide study Chinese. China hosted more than 140 000 foreign students this year, which is the first time the number has exceeded that of Chinese studying abroad.

Having good textbooks is essential to learning any foreign language. That's why we have designed this series for elementary-level students, *Experiencing Chinese Elementary Course,* based on many teachers' experience of over 5 decades in the field of teaching Chinese as a foreign language.

This series of textbooks (used for 200 hours) has 48 lessons divided evenly into two volumes. Each volume includes 24 lessons and a test, with an MP3 attached. Each lesson consists of "Sentences", "Words", "Text", "Notes", "Pattern Drills" "Vocabulary Extension", "Listening and Speaking" and "Reading and Writing". The set also includes teacher's books and workbooks.

The textbook focuses on function while at the same time giving significant attention to structure. Each lesson contains several parts, each focusing specifically on one aspect of language comprehension. These teaching materials are designed to be popular, practical and interesting. The books emphasize the experiencial learning method. Specifically speaking, the textbook is designed like this:

- Objective

The textbook's aim is to build up students' skills in listening, speaking, reading and writing. The text also focuses on developing students' basic communication competence, so they can put what they have learned immediately into practice outside the classroom. In addition, this textbook emphasizes motivating the students to continue their studies.

- Theories

We have drawn on the advantages of the audio-lingual method, paying special attention to pattern drills. This kind of drill is not a stuffy and meaningless displacement exercise; it is expressed in a specific environment, allowing students to grasp 301 typical Chinese sentence patterns. Based on the communicative approach, this text deals with functions and topics. This ensures that the students learn to carry on a conversation. Additionally, according to the research on task-based instruction, the textbook helps students learn by performing real tasks. Overall, this textbook emphasizes learning by doing, learning by using the language, and learning by experiencing the language.

- Vocabulary

There are approximately 500 new words in this book. Aside from lists of words, each lesson also has a "Vocabulary Extension" section, which offers teachers more flexibility. The section uses images to help students learn the words visually.

- Text

The texts relate to students' school and social life. After learning these texts, students should be able to carry on daily conversation with ease. The dialogues in the text are short, clear and represent everyday situations. The writing is light and humorous, making Chinese study as enjoyable as possible. The texts also contain cultural information; while they study the language, students are also learning about China's customs.

- Notes

Studying Chinese is not just about learning grammar. Instead, learning grammar is a way to improve the study of the language. Following this way of thinking, this textbook attempts to minimize grammar explanations by putting grammar into the notes and using tables and formulas. The text teaches grammar piece by piece, giving students only what they need to know for that lesson.

- Chinese Characters

In teaching Chinese characters, we follow the conception of recognizing more characters than writing, and teaching reading and writing separately. The text contains a writing section that teaches the basic strokes, stroke orders and character composition rules. The characters are taught according to their sides; the most frequently used sides appear earliest in the text. As the book progresses, the students learn to write more and more complex characters. Eventually, the characters in the writing section are the same as those in the text.

- Activities

This section is designed to be simple, clear and help students improve their listening, speaking, reading, and writing skills. The "Striking While the Iron Is Hot" exercises teach colloquial expressions and emphasize comprehension and imitation. The "Listening and Speaking" section also teaches colloquial expressions, but it focuses on communication and application. The "Reading and Writing" section focuses on literal expression and knowledge. The book also includes pronuncciation and characters exerusès.

- Format

The format of the textbook is designed to be simple, elegant and concise. Targeting adult students, the textbook has made abundant use of pictures, drawings and photographs in order to better relate the content to the students.

Professors Mr. Lu Jianji, a renowned scholar in the TCSL circle, from Beijing Language and Culture University has reviewed and approved the book. Editors in TCFL publications of Higher Education Press have offered many constructive suggestions during the entire writing process. I am very appreciative of their help and hard work.

Jiang Liping
June 2006

目　录

语　音　Phonetics

音 节 Syllables

In Chinese, a syllable is composed of an initial, a final and a tone. For example: in the syllable' nǐ ', ' n ' is the initial, ' i ' is the final, and ' ˇ ' is the tone.

Initial	Final			Tone		Syllable
		a		‾	→	ā
b		a		╱	→	bá
b	i	e		∨	→	biě
b		a	o	╲	→	bào
b	i	a	o	∨	→	biǎo

声 母 Initials

There are 21 initials in Chinese, and they can be divided into 6 groups according to the positions of articulation.

唇 音	b	p	m	f	
舌尖中音	d	t	n		l
舌根音	g	k		h	
舌面音	j	q		x	
舌尖后音	zh	ch		sh	r
舌尖前音	z	c		s	

1

● 韵 母 Finals

There are 38 finals in Chinese, and they are classified into 5 types: simple finals, compound finals, triple finals, nasal finals and special finals.

单韵母	a	o		e	i		u	ü
复韵母	ai	ei		ao	ou			
	ia	ie		ua	uo		üe	
三重韵母	uai	uei(ui)		iao	iou(iu)			
鼻韵母	an			ang			前 ←→ 后	
	en			eng				
	in			ing				
	ian			iang			上 ↑ ↓ 下	
	uan			uang				
	uen(un)			ueng				
	üan			ün				
	ong			iong				
特殊韵母	er	-i [ʅ]						
		-i [ʅ]						

II

● 声 调 Tones

1. 声调 Tones

Tone refers to the pitch variation within a syllable. In Chinese, it's a way to express different meanings of the same syllable. In Mandarin, there are four tones, represented respectively by a tone-marker. For example: the first tone "ˉ", the second tone "ˊ", the third tone "ˇ", and the fourth tone "ˋ". The tone-marker is placed above the main vowel.

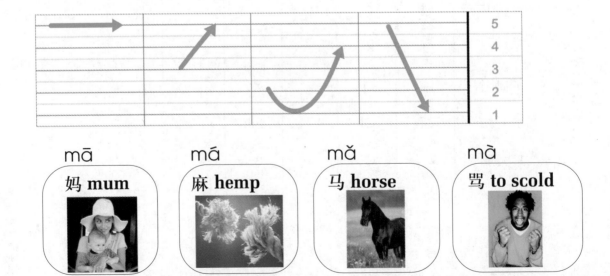

mā 妈 mum   má 麻 hemp   mǎ 马 horse   mà 骂 to scold

2. 轻 声 Neutral tone

A neutral tone is the pronunciation of a character affected by the tone of the previous syllable. The neutral tone is pronounced soft and short, and it is shown by the absence of a tone-marker. It should continue to diminish, when used after the first, second and fourth tone. But the one after the third tone will rise a little bit and then go down.

māma	yéye	nǎinai	bàba
妈妈	爷爷	奶奶	爸爸
mum	grandpa	grandma	dad

● 变 调 Changes of Tone

1. 三声变调 Change of the third tone

When two third-tone syllables appear in a row, the former is pronounced with a second tone, but is marked as the original tone. When a third tone syllable is followed by a first, second, fourth or a neutral tone syllable, it retains only the first falling part, which we call the half-third tone. It is also marked as the original tone.

V + V ⟶ / + V	nǐ hǎo	你好
	lǎoshī	老师
	hěn nán	很难
	hěn dà	很大
	wǒmen	我们

2. "一" 的变调 Change of the tone "一"

Originally "一" is pronounced in the first tone, and it remains unchanged. But when used before a fourth tone, it changes into a second tone. And before a first, second or a third tone syllable, it change into a fourth tone.

yī 一 + { ⎯ / ∨ } → yì 一 + { ⎯ / ∨ }	yì tiān 一 天
	yì nián 一 年
	yìqǐ 一 起
yī 一 + \ → yí 一 + \	yídìng 一 定

3. "不" 的变调 Change of the tone "不"

"不" is pronounced with a second tone when used before a fourth tone. When used alone, or before a first, second or third tone, it remains the original tone (the fourth tone).

bù 不 + { ⎯ / ∨ } → bù 不 + { ⎯ / ∨ }	bù gāo 不高
	bù máng 不忙
	bù hǎo 不好
bù 不 + \ → bú 不 + \	bú kèqi 不客气

儿化韵 Retroflexed Ending

Sometimes, the final "er" is used after another final and changes the final into a retroflexed final. It forms one syllable with the original initial. In transcription it is shown by adding "r" to the original final. In character, it is represented by " 儿 " following the original character.

| nǎ 哪 | + | ér 儿 | → | nǎr 哪儿 |
| nà 那 | + | ér 儿 | → | nàr 那儿 |

IV

拼写规则 Spelling Rules

1. i，u，ü 自成音节 i，u，ü can respectively form syllables alone

When they form syllables by themselves, " i ", " u " and " ü " are written as " yi ", " wu " and " yu ".

i	→	yi
u	→	wu
ü	→	yu

2. 以 i 开头的韵母 Finals beginning with i

Finals beginning with " i ": when used without an initial, " i " is written as " y ".

ia	→	ya	ie	→	ye
iao	→	yao	iou	→	you
ian	→	yan	iang	→	yang
iong	→	yong			
in	→	yin	ing	→	ying

3. 以 u 开头的韵母 Finals beginning with u

Finals beginning with " u ": when used without an initial, " u " is written as " w ".

ua	→	wa	uo	→	wo
uai	→	wai	uei	→	wei
uan	→	wan	uen	→	wen
uang	→	wang			

4. 以 ü 开头的韵母 Finals beginning with ü

Finals beginning with " ü ": when used without an initial, " y " should be added before " ü ", and the two dots over " ü " are omitted.

üe → yue		üan → yuan
ün → yun		

V

5. ü 在 j, q, x, y 前面写成 u　ü **is written as "u" when used before** j, q, x **or** y

When "j", "q", "x" or "y" is combined with "ü" and other finals beginning with "ü", the two dots over "ü" are omitted. For example:

j		**ju**	jú zi
q	+ ü →	**qu**	gē qǔ
x		**xu**	xū yào
y		**yu**	dà yǔ

6. iou, uei, uen 的拼写规则 **Spelling rules of** iou, uei, **and** uen

When used after an initial, "iou", "uei", and "uen" should be written as "iu", "ui", and "un". For example:

l＿iōu → liù	sh＿uéi → shuí	c＿uēn → cūn
x＿iōu → xiū	g＿uèi → guì	t＿uēn → tūn

7. 隔音符号（'）**Syllable-dividing mark** （'）

When a syllable beginning with "a", "o", or "e" follows another syllable, and the division of the two syllables could be confused, the syllable-dividing mark(')should be used in between.

jī'è	jiè
pí'ǎo	piǎo

8. 字母的大写 **Rules of capitalization**

The first letter of the first word in a sentence should be capitalized; the first letter of a surname or a given name should be capitalized; and the first letter of a proper noun should be capitalized. For example:

Nín guìxìng?	Zhāng Huá	Běijīng

9. 数字 **Numbers**

	1	2	3	4	5	6	7	8	9	10
汉字	一	二	三	四	五	六	七	八	九	十
读语	yāo/yī	èr	sān	sì	wǔ	liù	qī	bā	jiǔ	shí

VI

你好
Nǐ hǎo

句子 | Sentences

001	Hello!	你好!	Nǐ hǎo!
002	Hello! (respectful form)	您好!	Nín hǎo!
003	Hello! (plural form)	你们好!	Nǐmen hǎo!
004	Bye!	再见!	Zàijiàn!
005	See you tomorrow!	明天见!	Míngtiān jiàn!

第一部分 | Part I

词语 | Words

1.	你	nǐ	you	3.	再见	zàijiàn	bye
2.	好	hǎo	good				

专有名词 Proper Nouns

1.	马克	Mǎkè	Mark	2.	卡伦	Kǎlún	Karen

1

1 你 好

课文一 | Text 1

(Scene: Karen meets Mark, and they say hello to each other.)

卡 伦：　马 克，你 好！
Kǎlún:　Mǎkè, nǐ hǎo!

马 克：　你 好，卡 伦！
Mǎkè:　Nǐ hǎo, Kǎlún!

卡 伦：　再 见！
Kǎlún:　Zàijiàn!

马 克：　再 见！
Mǎkè:　Zàijiàn!

注 释 | Notes

"你好！" **Hello!**

In Chinese, this is a common greeting and can be used at any time. It is also used as a reply.

趁热打铁　Strike While the Iron Is Hot

你好，马克！

卡伦，你好！

再见！

第二部分 | Part II

词 语 | Words

1.	你们	nǐmen	you	4.	您	nín	you (respectful form)
2.	明天	míngtiān	tomorrow	5.	见	jiàn	to see
3.	老师	lǎoshī	teacher				

专有名词 Proper Nouns

1.	王	Wáng	Wang	2.	安德鲁	Āndélǔ	Andrew

2

课文二 | Text 2

(Scene: Mrs. Wang is greeting several students in the classroom.)

王 老 师：	你们 好!
Wāng lǎoshī:	Nǐmen hǎo!
安 德 鲁：	王 老 师，您 好!
Āndélǔ:	Wāng lǎoshī, nín hǎo!
卡 伦：	老 师 好!
Kǎlún:	Lǎoshī hǎo!
王 老 师：	明 天 见!
Wāng lǎoshī:	Míngtiān jiàn!
安 德 鲁：	
Āndélǔ:	明 天 见!
卡 伦：	Míngtiān jiàn!
Kǎlún:	

注 释 | Notes

1. "您" The respectful form of "你"

"您" is a polite form of "你" used to show respect. It is usually used when talking to senior people. But sometimes you can also say "您" to people in your age to show respect, especially when you meet at the first time. "您" doesn't have a plural form, so you CANNOT say "您们".

2. 形容词谓语句 Sentences with an adjectival predicate

In an adjectival predicate, the verb "是" is not used. Adjectives are put right after the subject. E.g.

Subject (S)	Predicate (Adj.)
你	好!
老师	好!
你们	好!

句型操练 | Pattern Drills

1. 你好!
   ……好!

| 您 | 你们 | 老师 |

3

马克　　　　老师　　　　卡伦

2. 再见／明天见！
　……再见／明天见！

趁热打铁　Strike While the Iron Is Hot

你们好！

老师好！
老师，您好！

词语扩展 | Vocabulary Extension

同学们
tóngxué men

听与说 | Listening and Speaking

一　看图回答问题 Look and Answer

你应该怎么跟他们打招呼？

4

二 双人练习 Pair Work

	学生 A	学生 B
①	你好！	
		再见！
②	老人	年轻人
		您好！
	明天见！	
③	老师	学生们
	同学们好！	
		再见！

三 根据情景作出回答 Give a Response According to the Situation

1. 你好！
2. 您好！
3. 再见！

汉字 | Characters

Chinese characters are square-shaped. There are 3 levels in the structure of Chinese characters: strokes, components and characters as wholes.

The stroke is the smallest component unit of Chinese characters. It refers to the dots and lines, which constitute the character. Stroke includes basic strokes and compound strokes.

1. 汉字笔画 Strokes of Chinese Characters（1）

Stroke	Name	Example
一	héng	一

5

丨	shù	十
丿	piě	人
乀	nà	人

2. 汉字笔顺 Rules of Stroke Order（**1**）

Horizontal before vertical	十	十 十
Downward-left before downward-right	人	人 人

读与写 | Reading and Writing

6

一 填写并完成对话 Fill in the Blanks and Complete the Conversations

①
A：你好！

B：＿＿＿＿＿＿＿＿＿＿＿！

A：再见！

B：＿＿＿＿＿＿＿＿＿＿＿！

②
A：老师，＿＿＿＿＿＿＿＿＿＿

B：你好！

A：＿＿＿＿＿＿＿＿＿＿＿！

B：明天见！

二 汉字练习 Chinese Characters

汉 字	笔 顺
一	一
十	十 十
人	人 人
王	王 王 王 王

三 语音练习 Pronunciation

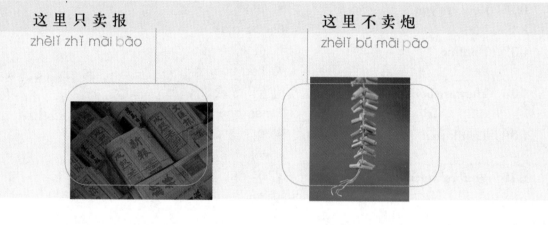

这里只卖报
zhèlǐ zhǐ mài bào

这里不卖炮
zhèlǐ bú mài pào

第 **2** 课

你 好 吗
Nǐ hǎo ma

句子 | Sentences

006	How are you?	你好吗？ Nǐ hǎo ma?
007	I'm fine.	我很好。 Wǒ hěn hǎo.
008	They are both fine.	他们都很好。 Tāmen dōu hěn hǎo.
009	Thank you!	谢谢！ Xièxie!
010	You're welcome!	不客气！ Bú kèqi!

第一部分 | Part I

词语 | Words

| 1. | 吗 | ma | (modal particle) | 3. | 他 | tā | he, him |
| 2. | 很 | hěn | very | 4. | 也 | yě | also |

课文一 | Text 1

(Scene: Karen and Andrew are greeting each other.)

卡 伦： 安 德 鲁，你 好 吗?
Kǎlún: Āndélǔ, nǐ hǎo ma?

安 德 鲁： 我 很 好!
Āndélǔ: Wǒ hěn hǎo!

卡 伦： 马 克 好 吗?
Kǎlún: Mǎkè hǎo ma?

安 德 鲁： 他 也 很 好。
Āndélǔ: Tā yě hěn hǎo.

卡 伦： 再 见!
Kǎlún: Zàijiàn!

安 德 鲁： 再 见!
Āndélǔ: Zàijiàn!

注 释 | Notes

用 "吗" 的问句 Questions with "吗"

General questions in Chinese can be formed by adding the particle "吗" to the end of statements. The basic form is: Statement + 吗 ?

Statement	吗
你好	吗?
你们好	吗?
王老师好	吗?

句型操练 | Pattern Drills

1. 你好吗?
   ……好吗?

安德鲁　　　　她　　　　老师

2. A: 你好吗?
   B: 我很好。
   A: ……好吗?
   B: ……很好。

王老师　　　　安德鲁　　　　卡伦

趁热打铁　*Strike While the Iron Is Hot*

1. 你好吗?
3. 她好吗?

2. 我很好。
4. 她也很好。

第二部分 | Part II

词语 | Words

1.	爸爸	bàba	father		5.	谢谢	xièxie	thanks
2.	妈妈	māma	mother		6.	不	bù	no, not
3.	他们	tāmen	they, them		7.	客气	kèqi	modest
4.	都	dōu	both, all					

课文二 | Text 2

(Scene: Karen and Mrs. Wang are chatting in the classroom.)

卡 伦： 王 老 师，您 好！
Kǎlún: Wáng lǎoshī, nín hǎo!

王 老 师： 你 好，卡 伦！你 爸 爸 妈 妈 好 吗？
Wáng lǎoshī: Nǐ hǎo, Kǎlún! Nǐ bàba māma hǎo ma?

卡 伦： 他 们 都 很 好。谢 谢！
Kǎlún: Tāmen dōu hěn hǎo. Xièxie!

王 老 师： 不 客 气！
Wáng lǎoshī: Bú kèqi!

注释 | Notes

副词"很"、"也"、"都" Adverbs "很"，"也"，"都"

　　Adverbs such as "很"，"也"，and "都" are usually placed immediately before adjectives. They are the adverbial modifiers in the sentence. E.g.

Subject (S)	Predicate (Adj.)
你	好！
我	很好。
她	也很好。
我们	都很好。
他们	也都很好。

句型操练 | Pattern Drills

1. 他们都很好。
　　……都很好。

爸爸、妈妈　　安德鲁、卡伦　　我们

2. 谢谢。
　　……，谢谢（你）。

王老师　　安德鲁　　卡伦

11

趁热打铁 Strike While the Iron Is Hot

1. 你爸爸妈妈好吗？
2. 他们都很好。
3. 谢谢。
4. 不客气！

词语扩展 | Vocabulary Extension

我们
wǒmen

你们
nǐmen

他们
tāmen

听与说 | Listening and Speaking

一 看图回答问题 Look and Answer

他们怎么互相问候?

二 双人练习 Pair Work

	学生A	学生B
①		我很好。你好吗？
	我也很好。谢谢！	
	学生	老师
②	老师，您好吗？	_____，_____？
	我爸爸很好，妈妈 ____ 很好。	
	我们 ____ 很好。_____！	不客气！

三 根据情景作出回答 Give a Response According to the Situation

1. 你好吗？

2. 你爸爸妈妈好吗？

汉字 | Characters

1. 汉字笔画 Strokes of Chinese Characters（2）

Stroke	Name	Example
、	diǎn	六
ㄱ	héng zhé	五
ㄣ	shù zhé zhé gōu	马

2. 汉字笔顺 Rules of Stroke Order（2）

From left to right	八	八 八
From top to bottom	六	六 六 六 六

13

读与写 | Reading and Writing

一 填写并完成对话 Fill in the Blanks and Complete the Conversations

A：你好吗?

B：_____。你好吗?

A：_____。_____?

B：我爸爸妈妈都很好。谢谢!

A：_____!

二 汉字练习 Chinese Characters

汉 字	笔 顺
八	八 八
六	六 六 六 六
五	五 五 五 五
马	马 马 马

三 语音练习 Pronunciation

这是毯子	那是掸子
zhè shì tǎnzi	nà shì dǎnzi

14

你叫什么名字

Nǐ jiāo shénme míngzi

句子 | Sentences

011	What's your name?	你叫什么名字?
		Nǐ jiāo shénme míngzi?
012	My name is Karen. And you?	我叫卡伦。你呢?
		Wǒ jiāo Kǎlún. Nǐ ne?
013	Glad to meet you.	很高兴认识你。
		Hěn gāoxìng rènshi nǐ.
014	What's your surname?	您贵姓?
		Nín guìxìng?
015	I'm surnamed Wang.	我姓王。
		Wǒ xìng Wáng.

15

第一部分 | Part I

词语 | Words

1.	叫	jiāo	to call	5.	呢	ne	(modal particle)
2.	什么	shénme	what	6.	高兴	gāoxìng	happy
3.	名字	míngzi	name	7.	认识	rènshi	to know
4.	我	wǒ	I, me				

专有名词 Proper Nouns

惠美	Huìměi	Huimei

课文一 | Text 1

(Scene: Karen meets Huimei for the first time in the dormitory.)

惠 美: 你 好。你 叫 什 么 名 字?
Huìměi: Nǐ hǎo. Nǐ jiào shénme míngzi?

卡 伦: 我 叫 卡 伦。你 呢?
Kǎlún: Wǒ jiào Kǎlún. Nǐ ne?

惠 美: 我 叫 惠 美。
Huìměi: Wǒ jiào Huìměi.

卡 伦: 很 高 兴 认 识 你。
Kǎlún: Hěn gāoxìng rènshi nǐ.

惠 美: 我 也 很 高 兴 认 识 你。
Huìměi: Wǒ yě hěn gāoxìng rènshi nǐ.

注释 | Notes

1. 用"什么"的问句 **Questions with** "什么"

"什么" is a question pronoun used when asking about a thing or situation. E.g.

Subject (S)	Predicate (P)	
	V	**Object (O)**
你	叫	什么名字?
你	姓	什么?

2. 用"呢"的省略问句（1）**Elliptical questions with** "呢"（1）

In elliptical questions with "呢", we have to decide the meaning of the question according to the context.

我很好。	你呢?
我叫惠美。	你呢?
我爸爸妈妈都很好。	你爸爸妈妈呢?

句型操练 | Pattern Drills

1. 你叫什么名字?
　　……叫什么名字?

她　　　　你爸爸　　　你妈妈

2. 我叫卡伦。你呢？
　　我叫……。你呢？

安德鲁

马克

惠美

趁热打铁　Strike While the Iron Is Hot

1. 你叫什么名字？
3. 我叫马克。很高兴认识你。

2. 我叫卡伦，你呢？
4. 我也很高兴认识你。

第二部分 | Part II

词语 | Words

1.	贵姓	guìxìng	(honorable) surname	3.	她	tā	she, her
2.	姓	xìng	to be surnamed				
专有名词 Proper Nouns							
1.	丹尼斯·格林	Dānnísī Gélín	Denis Green	2.	乔斯	Qiáosī	Jones

课文二 | Text 2

(Scene: Mrs. Wang meets the new student Denis.)

丹 尼 斯：　老师，您贵姓？
Dānnísī:　Lǎoshī, nín guìxìng?

王 老 师：　我姓王。
Wáng lǎoshī:　Wǒ xìng Wáng.

丹 尼 斯：　王老师，您好！
Dānnísī:　Wáng lǎoshī, nín hǎo!

王老师： 你好。你姓什么？
Wáng lǎoshī: Nǐ hǎo. Nǐ xìng shénme?

丹尼斯： 我姓格林，我叫丹尼斯。
Dānnísī: Wǒ xìng Gélín, wǒ jiào Dānnísī.

王老师： 他叫什么名字？
Wáng lǎoshī: Tā jiào shénme míngzi?

丹尼斯： 他叫乔斯。
Dānnísī: Tā jiào Qiáosī.

王老师： 她呢？
Wáng lǎoshī: Tā ne?

丹尼斯： 她叫惠美。
Dānnísī: Tā jiào Huìměi.

注释 | Notes

1. **中国人的姓与名 Chinese surnames and given names**

Chinese people always put their surname before their given name, so that in the name "张华"，"张" is the surname and "华" is the first name.

姓 (Surname)	名 (Given name)
张 Zhāng	华 Huá
王 Wǎng	天华 Tiānhuá

2. **"您贵姓？" What's your (honorable) surname?**

This is a polite way to ask someone's surname. The answer can be "我姓……", or you can just tell your full name: "我叫……." But you CANNOT say "他贵姓？" when you ask a third person's surname.

Subject (S)	Predicate (P)
您	贵姓？
我	姓王。
我	姓张。

句型操练 | Pattern Drills

我姓王。
我姓……。

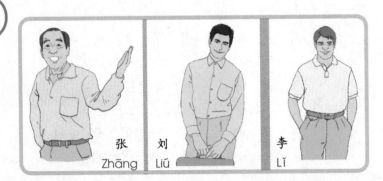

张 Zhāng   刘 Liú   李 Lǐ

18

趁热打铁 Strike While the Iron Is Hot

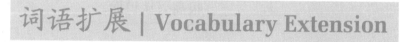

词语扩展 | Vocabulary Extension

中国人的姓

张	姚	刘	李	邓
Zhāng	Yáo	Liú	Lǐ	Dèng

19

听与说 | Listening and Speaking

一 看图回答问题 Look and Answer

他／她姓什么？叫什么名字？

二 双人练习 **Pair Work**

	学生A	学生B
①		我叫惠美。你呢？
	_____。很高兴认识你。	

	A	B
②	老师，_____？	我姓王。_____？
	我姓怀特。	
	我叫安德鲁。	
	我也很高兴认识您。明天见！	

三 根据情景作出回答 **Give a Response According to the Situation**

1. 您贵姓？
2. 你爸爸叫什么名字？
3. 你妈妈叫什么名字？

汉字 | **Characters**

汉字笔画 Strokes of Chinese Characters（3）

Stroke	Name	Example
㇇	piě diǎn	女
㇄	héng zhé wān gōu	九
㇟	shù wān gōu	七

读与写 | Reading and Writing

一 填写并完成对话 Fill in the Blanks and Complete the Conversations

①
A：_____？ （什么）

B：_____（叫），_____？ （呢）

A：我叫卡伦。_____。 （很）

B：_____。 （也）

②
A：_____？ （什么）

B：他姓格林。

A：_____？ （什么）

B：她叫卡伦。

二 汉字练习 Chinese Characters

汉 字	笔　　顺
女	女 女 女
九	九 九
七	七 七
不	不 不 不 不

三 语音练习 Pronunciation

肚子饱了
dùzi bǎo le

兔子跑了
tùzi pǎo le

第 4 课

你是哪国人
Nǐ shì nǎ guó rén

句子 | Sentences

016	What nationality are you?	你是哪国人？ Nǐ shì nǎ guó rén?
017	I am a Chinese.	我是中国人。 Wǒ shì Zhōngguórén.
018	Are you from Shanghai?	你是上海人吗？ Nǐ shì Shànghǎirén ma?
019	I am not from Shanghai.	我不是上海人。 Wǒ bú shì Shànghǎirén.
020	Who is he?	他是谁？ Tā shì shuí?

第一部分 | Part I

词语 | Words

1.	请	qǐng	please	4.	哪	nǎ	which
2.	问	wèn	to ask	5.	国	guó	country
3.	是	shì	to be	6.	人	rén	people

专有名词 Proper Nouns

1.	中国	Zhōngguó	China	2.	美国	Měiguó	U.S.

课文一 | Text 1

(Scene: Mark meets Chinese student Zhang Hua in the library reading room.)

马 克： 请问，你叫什么名字?
Mǎkè: Qǐngwèn, nǐ jiào shénme míngzi?

张 华： 我叫张华。你呢?
Zhāng Huá: Wǒ jiào Zhāng Huá. Nǐ ne?

马 克： 我叫马克。你是哪国人?
Mǎkè: Wǒ jiào Mǎkè. Nǐ shì nǎ guó rén?

张 华： 我是中国人。你是哪国人?
Zhāng Huá: Wǒ shì Zhōngguórén. Nǐ shì nǎ guó rén?

马 克： 我是美国人。很高兴认识你。
Mǎkè: Wǒ shì Měiguórén. Hěn gāoxìng rènshi nǐ.

张 华： 我也很高兴认识你。
Zhāng Huá: Wǒ yě hěn gāoxìng rènshi nǐ.

注释 | Notes

1. 用"哪"的问句 Questions with "哪"

① Questions with the question pronoun "哪" are used to ask people or things. In this lesson "哪" is used to ask someone's nationality.

Subject (S)	Predicate (P)	
	是	Object (O)
你	是	哪国人?

② To indicate the nationality of an individual, the character "人" is usually placed after the name of one's country.

Subject (S)	Predicate (P)	
	是	Object (O)
我	是	美国人。
我	是	中国人。

③ It is not necessary to place the character "国" after the names of some countries, e.g. Japan, Canada, Australia.

Subject (S)	Predicate (P)	
	是	Object (O)
我	是	日本人。
我	是	加拿大人。
我	是	澳大利亚人。

2. "是" 字句 Sentences with "是"

① A sentence with "是" uses the verb "是" as its predicate. E.g.

Subject (S)	Predicate (P)	
	是	Object (O)
我	是	中国人。
我	是	北京人。

② If the sentence includes the adverb "也", "都" or both of them before the verb, it/they should be placed as follows:

她	也是	上海人。
我们	都是	上海人。
他们	也都是	上海人。

③ Its negative form is made by putting "不" before the verb "是":

他	不是	北京人。
她	不是	上海人。

句型操练 | Pattern Drills

1. 你是哪国人？
   ……是哪国人？

 张华　 卡伦　 安德鲁

2. 我是美国人。
   ……是…

 他　 她们　 她

趁热打铁　Strike While the Iron Is Hot

她是哪国人？
她叫什么名字？

他是哪国人？
他叫什么名字？

24

第二部分 | Part II

词 语 | Words

1.	谁	shuí	who	4.	学习（学）	xuéxí(xué)	to study
2.	同学	tóngxué	classmate	5.	英语	Yīngyǔ	English
3.	对	duì	correct				

专有名词 Proper Nouns

1.	北京	Běijīng	Beijing	2.	上海	Shànghǎi	Shanghai

课文二 | Text 2

(Scene: In the dining hall, Mark sees Zhang Hua with someone. He goes and talks to Zhang Hua.)

马 克：张华，你是上海人吗？
Mǎkè: Zhāng Huá, nǐ shì Shànghǎirén ma?

张 华：我不是上海人。我是北京人。
Zhāng Huá: Wǒ bú shì Shànghǎirén. Wǒ shì Běijīngrén.

马 克：他是谁？
Mǎkè: Tā shì shuí?

张 华：他是我同学。
Zhāng Huá: Tā shì wǒ tóngxué.

马 克：他也是北京人吗？
Mǎkè: Tā yě shì Běijīngrén ma?

张 华：对。我们都是北京人。
Zhāng Huá: Duì. Wǒmen dōu shì Běijīngrén.

马 克：你们学习什么？
Mǎkè: Nǐmen xuéxí shénme?

张 华：我们学习英语。
Zhāng Huá: Wǒmen xuéxí Yīngyǔ.

注 释 | Notes

用"谁"的问句 Questions with "谁"

Questions with the question pronoun "谁" are used to ask who. E.g.

25

Subject (S)	Predicate (P)	
	是	Object (O)
他	是	谁？
她	是	谁？
他们	是	谁？

Subject (S)	Predicate (P)	
	是	Object (O)
谁	是	张华？
谁	是	王老师？

句型操练 | Pattern Drills

1. **A**：你是北京人吗？
   B：我不是北京人。我是上海人。
   A：你是……人吗？
   B：我不是……人。我是……人。

中国／美国

上海／北京

2. 他是谁？
   ……是谁？

她

他们

她们

趁热打铁 Strike While the Iron Is Hot

他是北京人吗？

他是中国人吗？

26

词语扩展 | Vocabulary Extension

国 家

英国
Yīngguó

美国
Měiguó

韩国
Hánguó

日本
Rìběn

中国的城市

天津
Tiānjīn

重庆
Chóngqìng

西安
Xī'ān

香港
Xiānggǎng

听与说 | Listening and Speaking

一 看图回答问题 Look and Answer

1. 他是哪国人？她是哪国人？

2. 他们是哪国人？

3. 你的中国朋友是北京人吗？

27

二 双人练习 Pair Work

	学生 A	学生 B
①		我是中国人。
	她是哪国人？	
	A	**B**
②		我不是上海人，我是北京人。
		他是我同学。
	他也是北京人吗？	不是，_____。
	你们学习什么？	

三 根据情景作出回答 Give a Response According to the Situation

1. 你的中文老师是北京人吗？
2. 你同学是哪国人？

汉字 | Characters

1. 汉字笔画 Strokes of Chinese Characters （4）

Stroke	Name	Example
亅	shù gōu	小
㇄	shù wān	四
㇆	héng zhé gōu	门

2. 汉字笔顺 Rules of Stroke Order （3）

Middle before two sides	小	小 小 小

3. 汉字偏旁 Sides of Chinese Characters （1）

亻	dān rén páng	们	口	kǒu zì páng	吗

4. 汉字组合 Composition of Chinese Characters （1）

单人旁 dān rén páng	亻 + 门 亻 + 十 亻 + 也	们 什 他
口字旁 kǒu zì páng	口 + 马 口 + 尼	吗 呢

读与写 | Reading and Writing

一 把括号里的词填入适当的位置 Put the Words into the Appropriate Place

1. 我 A 是 B 美国人 C 。　　　　　　（也）
2. 他们 A 也 B 是 C 上海人。　　　　　（都）
3. 我们 A 是 B 北京人 C 。　　　　　　（不）

二 填写并完成对话 Fill in the Blanks and Complete the Conversations

①
A： _____ ？　（哪）
B： 我是美国人。
A： _____ ？　（什么）
B： 我叫马克。
A： 很高兴认识你。
B： _____ 。　（也）

②
A： _____ ？　（吗）
B： 她不是上海人。她是北京人。
A： _____ ？　（什么）
B： 她叫张华。
A： _____ ？　（什么）
B： 她学习英语。

三 朗读短文 Read Aloud

我叫张华，我是中国人。他是我的同学。他叫马克，他是美国人。

Wǒ jiào Zhāng Huá, wǒ shì Zhōngguórén. Tā shì wǒ de tóngxué. Tā jiào Mǎkè, tā shì Měiguórén.

四 汉字练习 Chinese Characters

汉 字	笔　顺
小	小　小　小
四	四　四　四　四　四
门	门　门　门
们	们　们　们　们　们
吗	吗　吗　吗　吗　吗　吗

五 语音练习 Pronunciation

上课的时候老师教我们唱歌。

Shàngkè de shíhou lǎoshī jiāo wǒmen chàng gē.

30

第 **5** 课

你住哪儿
Nǐ zhù nǎr

句子 | Sentences

021	Where do you live?	你住哪儿？ Nǐ zhù nǎr?
022	What's your building number?	你住几号楼？ Nǐ zhù jǐ hào lóu?
023	What's your room number?	你的房间号是多少？ Nǐ de fángjiān hào shì duōshao?
024	I live in room 214, international students' dormitory building 6.	我住留学生宿舍6号楼214房间。 Wǒ zhù liúxuéshēng sùshè liù hào lóu èryāosì fángjiān.
025	What's your telephone number?	你的电话号码是多少？ Nǐ de diànhuà hàomǎ shì duōshao?

第一部分 | Part I

词语 | Words

1.	住	zhù	to live, to stay	6.	号	hào	number
2.	哪儿	nǎr	where	7.	楼	lóu	building
3.	留学生	liúxuéshēng	foreign student	8.	房间	fángjiān	room
4.	宿舍	sùshè	dormitory	9.	多少	duōshao	how many, how much
5.	几	jǐ	how many, how much				

课文一 | Text 1

(Scene: Mark and Karen are talking in the classroom.)

马 克： 卡伦，你住哪儿？
Mǎkè:　Kǎlún, nǐ zhù nǎr?

卡 伦： 我住留学生宿舍。你呢？
Kǎlún:　Wǒ zhù liúxuéshēng sùshè. Nǐ ne?

马 克： 我也住留学生宿舍。你住几号楼？
Mǎkè:　Wǒ yě zhù liúxuéshēng sùshè. Nǐ zhù jǐ hào lóu?

卡 伦： 6 号楼。你呢？
Kǎlún:　Liù hào lóu. Nǐ ne?

马 克： 我住 14 号楼。
Mǎkè:　Wǒ zhù shísì hào lóu.

卡 伦： 你的房间号是多少？
Kǎlún:　Nǐ de fángjiān hào shì duōshao?

马 克： 618。
Mǎkè:　Liùyāobā.

卡 伦： 我的房间号是 214。
Kǎlún:　Wǒ de fángjiān hào shì èryāosì.

注释 | Notes

1. 用"哪儿"的问句　Questions with "哪儿"

"哪儿" is a question pronoun that can be used when asking location.

Subject (S)	Predicate (P)	
	住	Object (O)
你	住	哪儿？
他们	住	哪儿？

2. 数字的读法　How to read numbers

数字	1	2	3	4	5	6	7	8	9	0
汉字	一	二	三	四	五	六	七	八	九	零
读音	yī(yāo)	èr	sān	sì	wǔ	liù	qī	bā	jiǔ	líng

When reading numbers, "1" is usually pronounced "yāo" instead of "yī". No matter how many digits there are, numbers are read out one by one. When asking about numbers, if it's clearly understood by both sides, you can ask the question without saying "号码" or by just omitting the word "码".

Example:　我的电话（号码）是……
　　　　　我的房间号（号码）是……
　　　　　"14" 读作 shísì
　　　　　"214" 读作 èryāosì
　　　　　"82303814" 读作 bā'èrsānlíng-sānbāyāosì

句型操练 | Pattern Drills

1. 你住……?
　　……住……?

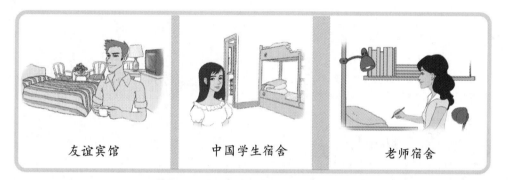

友谊宾馆　　　　　中国学生宿舍　　　　　老师宿舍

2. 我住 14 号楼。
　　我住……楼。

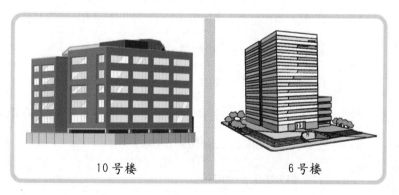

10号楼　　　　　6号楼

3. 你的房间号是多少?
　　……的房间号是多少?

卡伦　　　　　张华　　　　　王老师

33

5 你住哪儿

趁热打铁 *Strike While the Iron Is Hot*

1. 你住哪儿？
3. 我住……。你住几号楼？
5. 我住……。你的房间号是多少？
7. 我的房间号是……。

2. 我住……。你呢？
4. ……。你呢？
6. ……。

第二部分 | Part II

词 语 | Words

1.	宾馆	bīnguǎn	hotel		6.	对不起	duìbuqǐ	sorry
2.	电话	diànhuà	telephone		7.	忘	wàng	to forget
3.	号码	hàomǎ	number		8.	了	le	(modal particle)
4.	零	líng	zero		9.	没关系	méiguānxi	never mind
5.	手机	shǒujī	mobile phone					

专有名词 Proper Nouns

友谊宾馆 Yǒuyì Bīnguǎn the Friendship Hotel

课文二 | Text 2

(Scene: Andrew is chatting with Karen.)

安德鲁： 卡伦，你住哪儿？
Āndélǔ: Kǎlún, nǐ zhù nǎr?

卡 伦： 我住留学生宿舍6号楼214房间。你呢？
Kǎlún: Wǒ zhù liúxuéshēng sùshè liù hào lóu èryāosì fángjiān. Nǐ ne?

安德鲁: 我 住 友 谊 宾 馆。你 的 电 话 号 码 是 多 少?
Āndélǔ: Wǒ zhù Yǒuyì Bīnguǎn. Nǐ de diànhuà hàomǎ shì duōshao?

卡 伦: 82303814。
Kǎlún: Bā'èrsānlíng-sānbāyāosì.

安德鲁: 我 的 电 话 号 码 是 62341190。你 的 手 机 号 是
Āndélǔ: Wǒ de diànhuà hàomǎ shì liù'èrsānsì-yāoyāojiǔlíng. nǐ de shǒujī

多 少?
hào shì duōshao?

卡 伦: 136……, 对 不 起, 我 忘 了。
Kǎlún: Yāosānliù……, duìbuqǐ, wǒ wàng le.

安德鲁: 没 关 系。
Āndélǔ: Méiguānxi.

注 释 | Notes

结构助词"的" Structural particle "的"

The structural particle "的" is generally used after an attributive. If the noun which is modified by an attributive is a title for relatives, "的" is usually omitted in spoken Chinese.

我的爸爸＝我爸爸	你的妈妈＝你妈妈
他的老师＝他老师	她的同学＝她同学
你的房间号是多少?	我的房间号是214。
你的电话号码是多少?	我的电话号码是62341190。
你的手机号是多少?	我的手机号是13825096647。

句型操练 | Pattern Drills

1. 我住留学生宿舍6号楼214房间。
   我住……。

友谊宾馆6号 楼1316房间　　中国学生宿舍 10号楼251房间　　老师宿舍21号 楼417房间

2. 你的电话号码是多少?
   ……的电话号码是多少?

卡伦／82303814　　安德鲁／62341190　　王老师／85643012

35

趁热打铁 Strike While the Iron Is Hot

请问四位同学

	名 字	住 址	电话号码	手机号码
	卡伦	留学生宿舍 6 号楼 214 房间	82303814	13625098847
A				
B				
C				
D				

词语扩展 | Vocabulary Extension

地点

北京大学　　　　　　　会议中心　　　　　　　北京饭店
Běijīng Dàxué　　　　Huìyìzhōngxīn　　　　Běijīng Fàndiàn

听与说 | Listening and Speaking

一 看图回答问题 Look and Answer

他住哪儿?

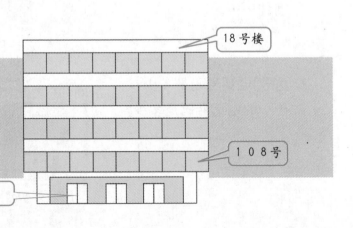

18 号楼

108 号

1 门

二 双人练习 Pair Work

	A	B
①		我住北京饭店。_____?
	我住北京大学学生宿舍。_____?	我住 1 号楼。_____?
	我住 18 楼。_____?	我的房间号是 602。

	A	B
②		我住会议中心 2 号楼 456 房间。_____?
		你的电话号码是多少?
	13671338259。你的手机号码是多少?	138……，_____，_____。

三 根据情景作出回答 Give a Response According to the Situation

1. 你住哪儿?

2. 你住几楼?

3. 你的房间号码是多少?

4. 你的手机号是多少?

汉字 | Characters

1. 汉字笔画 Strokes of Chinese Characters （5）

Stroke	Name	Example
一	píng piě	手
ノ	héng piě	多

2. 汉字笔顺 Rules of Stroke Order （4）

Outside before inside	问	问 问 问 问 问 问

3. 汉字偏旁 Sides of Chinese Characters（2）

木	mù zì pāng	机	门	mén zì kuàng	问

4. 汉字组合 Composition of Chinese Characters（2）

木字旁 mù zì pāng	木 + 几	机
门字框 mén zì kuàng	门 + 口	问
	门 + 日	间

读与写 | Reading and Writing

一 读下列号码 Read the Numbers

110   120   999   114   121   122

010 – 65336427   0731 – 6977001   020 – 82009915

38

二 选词填空 Fill in the Blank

1. 你的房间号码是（   ）?   （几，多少）
2. 你的手机号码是（   ）?   （几，多少）
3. 你住几（   ）楼?   （号，号码）

三 选择适当的问句或答句 Choose and Complete

1. A：_____

   B：我住友谊宾馆。

   ☐ 你住哪儿?
   ☐ 你住几楼?

2. A：_____

   B：我的手机号是 13306699213。

   ☐ 你的手机号码是几?
   ☐ 你的手机号码是多少?

四 填写并完成对话 Fill in the Blanks and Complete the Conversations

①

A: _____?

B: 我住留学生宿舍。你呢?

A: 我也住留学生宿舍。_____?

B: 9 号楼。你呢?

A: _____。_____?

B: 我的房间号是 218。

②

A: _____?

B: 我住留学生宿舍 6 楼 201 房间。

A: _____?

B: 我的电话是 62341190。

A: 你的手机号是多少?

B: _____。

五 朗读短文 Read Aload

　　我叫马克,我是美国人。我住留学生宿舍 14 号楼 618 号房间。她是我同学,她叫卡伦,她也是美国人。她住 6 号楼 214 号。

　　Wǒ jiào Mǎkè, wǒ shì Měiguórén. Wǒ zhù liúxuéshēng sùshè shísì hào lóu liùyāobā hào fángjiān. Tā shì wǒ tóngxué, tā jiào Kǎlún, tā yě shì Měiguórén. Tā zhù liù hào lóu èryāosì hào.

六 汉字练习 Chinese Characters

汉 字	笔　　顺
手	手 手 手 手
多	多 多 多 多 多 多
机	机 机 机 机 机 机
间	间 间 间 间 间 间 间

七 语音练习 **Pronunciation**

去肯德基吃鸡
qù Kěndéjī chī jī

去邮局寄信
qù yóujú jìxìn

第6课

你家有几口人

Nǐ jiā yǒu jǐ kǒu rén

句子 | Sentences

026	How many people are there in your family?	你家有几口人？ Nǐ jiā yǒu jǐ kǒu rén?
027	There are three people in my family.	我家有三口人。 Wǒ jiā yǒu sān kǒu rén.
028	What does your father do?	你爸爸做什么工作？ Nǐ bàba zuò shénme gōngzuò?
029	Do you have any sisters?	你有姐姐·吗？ Nǐ yǒu jiějie ma?
030	Where does your sister work?	你姐姐在哪儿工作？ Nǐ jiějie zài nǎr gōngzuò?

第一部分 | Part I

词语 | Words

1.	家	jiā	family	5.	做	zuò	to do
2.	有	yǒu	to have, there is/are	6.	工作	gōngzuò	work, job
3.	口	kǒu	(measure word)	7.	大夫	dàifu	doctor
4.	和	hé	and				

6 你家有几口人

课文一 | Text 1

(Scene: Mark and Zhang Hua are chatting.)

马 克： 张华，你家有几口人?
Mǎkè: Zhāng Huá, nǐ jiā yǒu jǐ kǒu rén?

张 华： 我家有三口人，爸爸、妈妈和我。
Zhāng Huá: Wǒ jiā yǒu sān kǒu rén, bàba, māma hé wǒ.

马 克： 你爸爸做什么工作?
Mǎkè: Nǐ bàba zuò shénme gōngzuò?

张 华： 他是大夫。
Zhāng Huá: Tā shì dàifu.

马 克： 你妈妈呢?
Mǎkè: Nǐ māma ne?

张 华： 我妈妈是老师。
Zhāng Huá: Wǒ māma shì lǎoshī.

注释 | Notes

1. "有"字句(1) Sentences with "有" (1)

① "有" indicates possession or existence. E.g.

Subject (S)	Predicate (P)	
	有	Object (O)
我	有	一个手机。
我	有	一个姐姐。
卡伦	有	一个哥哥。

② "有" can be preceded by adverbials:

Subject (S)	Predicate (P)	
	Adv.+有	Object (O)
他	也有	一个手机。
我	也有	一个姐姐。
卡伦	也有	一个哥哥。

③ "没" is the negative adverb for negating "有":

Subject (S)	Predicate (P)	
	没有	Object (O)
我	没有	姐姐。
卡伦	没有	哥哥。
我	没有	手机。

42

④ If there are other adverbial modifiers, they should be put before "没有".

Subject (S)	Predicate (P)	
	Adv.＋没有	Object (O)
卡伦	也没有	姐姐。
我们	都没有	弟弟。
我	也没有	手机。

2. "几"和"多少"

"几" and "多少" are used when asking quantity. Generally, "几" indicates a small number as its expected answer, perhaps no more than ten or so; if a larger number is expected, "多少" is used.

你家有几口人？

你住几号楼？

你的房间号是多少？

你的手机号是多少？

句型操练 | Pattern Drills

1. **A**：你家有几口人？
   B：我家有三口人。
   ……家有几口人？
   ……家有……口人。

张华　　　　　卡伦　　　　　王老师

张华的妈妈／老师　　张华的爸爸／大夫

2. 你爸爸做什么工作？
   ……做什么工作？

趁热打铁　Strike While the Iron Is Hot

他呢？

他家有几口人？
他们是谁？

她做什么工作？

43

第二部分 | Part II

词语 | Words

1.	姐姐	jiějie	elder sister		7.	妹妹	mèimei	younger sister
2.	没	méi	no		8.	学生	xuésheng	student
3.	只	zhǐ	only		9.	在	zài	at, in, on
4.	个	ge	(measure word)		10.	医院	yīyuàn	hospital
5.	哥哥	gēge	elder brother		11.	护士	hùshi	nurse
6.	弟弟	dìdi	younger brother					

课文二 | Text 2

(Scene: Andrew and Karen are chatting.)

安德鲁: 卡伦，你有姐姐吗？
Āndélǔ: Kǎlún, nǐ yǒu jiějie ma?

卡伦: 我没有姐姐，我只有一个哥哥。你呢？
Kǎlún: Wǒ méiyǒu jiějie, wǒ zhǐyǒu yí ge gēge. Nǐ ne?

安德鲁: 我有一个姐姐、两个弟弟和一个妹妹。
Āndélǔ: Wǒ yǒu yí ge jiějie, liǎng ge dìdi hé yí ge mèimei.

卡伦: 你妹妹工作吗？
Kǎ lún: Nǐ mèimei gōngzuò ma?

安德鲁: 不工作，她是学生。
Āndélǔ: Bù gōngzuò, tā shì xuésheng.

卡伦: 你姐姐在哪儿工作？
Kǎlún: Nǐ jiějie zài nǎr gōngzuò?

安德鲁: 她在医院工作。
Āndélǔ: Tā zài yīyuàn gōngzuò.

卡伦: 她是大夫？
Kǎlún: Tā shì dàifu?

安德鲁: 她不是大夫，她是护士。
Āndélǔ: Tā bú shì dàifu, tā shì hùshi.

注 释 | Notes

1. 介词"在" Preposition "在"

① The preposition "在" together with a location word as its object is often placed before a verb and indicates the place where an action occurred. The preposition-object structure functions as the adverbial modifier of the sentence.

Subject (S)	Predicate (P)		
	在	Object (O)	V+(O)
她	在	医院	工作。
我爸爸	在	上海	工作。

② If there is an adverbial modifier, it should be placed before the "在 +O" phrase.

Subject (S)	Predicate (P)		
	Adv.+在	Object (O)	V+(O)
我爸爸	也在	医院	工作。
他们	都在	上海	工作。

2. "二"和"两"的用法 Usages of "二" and "两"

There are two forms of the figure 2: "二" and "两". "二" is used in counting or when reading numbers; "两" is used before a measure word. E.g.

2	èr
12	shí'èr
22	èr shí'èr
两个弟弟	liǎng ge dìdi

3. 没有疑问词的问句 Questions without interrogative words

Questions without interrogative words are expressed by intonation. E.g.

1.	她是大夫？
2.	你住留学生宿舍？
3.	她是美国人？
4.	你妈妈是老师？
5.	你学习英语？

45

句型操练 | Pattern Drills

1. 你有<u>姐姐</u>吗？
   你有……吗？

哥哥　　　妹妹　　　弟弟

2. <u>你姐姐</u>在哪儿工作？
   ……在哪儿工作？

你爸爸/上海　　你妈妈/学校　　你哥哥/友谊宾馆

趁热打铁　Strike While the Iron Is Hot

他们在哪儿工作？

词语扩展 | Vocabulary Extension

职业

工人　　　职员　　　警察　　　空姐
gōngrén　　zhíyuán　　jǐngchá　　kōngjiě

46

听与说 | Listening and Speaking

一 看图回答问题　Look and Answer

他们做什么工作 ？

47

二 双人练习　Pair Work

A	B
①	我家有三口人，爸爸、妈妈和我。
	我爸爸是大夫。
	我妈妈在宾馆工作。
	我学习英语。

A	B
② 你有哥哥吗？	＿＿＿＿＿。我只有一个姐姐。
你姐姐在哪儿工作？	
她是大夫吗？	不，＿＿＿＿＿＿＿＿＿＿。

三 根据情景作出回答 Give a Response According to the Situation

1. 你家有几口人?

2. 你爸爸做什么工作?

3. 你有姐姐吗?

汉字 | Characters

1. 汉字笔画 Strokes of Chinese Characters（**6**）

Stroke	Name	Example
了	héng piě wān gōu	都
㇀	tí	护
㇁	piě zhé	么

2. 汉字偏旁 Sides of Chinese Characters（**3**）

女	nǚ zì pāng	妈		扌	tí shǒu pāng	护

3. 汉字组合 Composition of Chinese Characters（**3**）

女字旁 nǚ zì pāng	女 + 马 女 + 且 女 + 未	妈 姐 妹
提手旁 tí shǒu pāng	扌 + 户	护

读与写 | Reading and Writing

一 把括号里的词填入适当的位置 Put the Words into the Appropriate Place

1. 我 **A** 家 **B** 有 **C** 三口人。　　　　　　　　（也）

48

2. 他们 **A** 在 **B** 北京 **C** 工作。 （都）

3. 我 **A** 妹妹 **B** 工作 **C**。 （不）

二 选词填空 Fill in the Blank

1. 你家有（ ）口人？ （几，多少）

2. 你有几（ ）姐姐？ （口，个）

3. 我家只有（ ）口人。 （二，两）

三 填写并完成对话 Fill in the Blanks and Complete the Conversations

① A：_____？ （几）

B：我家有三口人，爸爸、妈妈和我。

A：_____？ （什么）

B：我爸爸是老师。

A：你妈妈 _____？ （什么）

B：_____。 （也）

② A：_____？ （吗）

B：我没有姐姐。我有一个哥哥。

A：_____？ （什么）

B：我哥哥是大夫。

A：_____？ （吗）

B：我不工作，我是学生。

四 朗读短文 Read Aloud

　　我叫张华。我是中国人。我家有三口人：爸爸、妈妈和我。我爸爸是上海人，他是大夫，他在医院工作。我妈妈是北京人，她是老师，她在大学工作。我是学生，我学习英语。

　　Wǒ jiào Zhāng Huá. Wǒ shì Zhōngguórén. Wǒ jiā yǒu sān kǒu rén: bàba, māma hé wǒ. Wǒ bàba shì Shànghǎirén, tā shì dàifu, tā zài yīyuàn gōngzuò. Wǒ māma shì Běijīngrén, tā shì lǎoshī, tā zài dàxué gōngzuò. Wǒ shì xuésheng, wǒ xuéxí Yīngyǔ.

五 汉字练习 **Chinese Characters**

汉 字	笔 顺
都	都 都 都 都 都 都 都 都 都 都
护	护 护 护 护 护 护 护
么	么 么 么
妈	妈 妈 妈 妈 妈 妈

六 语音练习 **Pronunciation**

他的亲戚买了七斤新鲜的西红柿。

Tā de qīnqi mǎi le qī jīn xīnxiān de xīhóngshì.

今 天 几 号

Jīntiān   jǐ   hǎo

句 子 | Sentences

031	What's the date today?	今 天 几 号？ Jīntiān jǐ hǎo?
032	What day is today?	今 天 星 期 几？ Jīntiān xīngqī jǐ?
033	He was born in 1988, the year of the dragon.	他 1988 年 出 生，属 龙。 Tā yījiǔbābā nián chūshēng, shǔ lóng.
034	Today is not Thursday, yesterday was Thursday.	今 天 不 是 星 期 四，昨 天 星 期 四。 Jīntiān bú shì xīngqīsì, zuótiān xīngqīsì.
035	Today is your birthday.	今 天 是 你 的 生 日。 Jīntiān shì nǐ de shēngri.

51

第 一 部 分 | Part I

词 语 | Words

1.	今天	jīntiān	today	6.	月	yuè	month
2.	号	hào	date	7.	属	shǔ	to be born in the year of
3.	星期	xīngqī	week	8.	年	nián	year
4.	明天	míngtiān	tomorrow	9.	出生	chūshēng	to be born
5.	生日	shēngri	birthday	10.	龙	lóng	dragon

7 今天几号

课文一 | Text 1

(Scene: Mark is chatting with Karen.)

卡 伦： 今 天 几 号？
Kǎlún: Jīntiān jǐ hǎo?

马 克： 今 天 三 号。
Mǎkè: Jīntiān sān hǎo.

卡 伦： 今 天 星 期 几？
Kǎlún: Jīntiān xīngqī jǐ?

马 克： 今 天 星 期 四。
Mǎkè: Jīntiān xīngqīsì.

卡 伦： 明 天 是 安 德 鲁 的 生 日。
Kǎlún: Míngtiān shì Āndélǔ de shēngrì.

马 克： 他 的 生 日 是 九 月 四 号？
Mǎkè: Tā de shēngrì shì jiǔ yuè sì hǎo?

卡 伦： 是。
Kǎlún: Shì.

马 克： 安 德 鲁 属 什 么？
Mǎkè: Āndélǔ shǔ shénme?

卡 伦： 他 1988 年 出 生， 属 龙。
Kǎlún: Tā yījiǔbābā nián chūshēng, shǔ lóng.

注释 | Notes

1. 11~99 的读法 Numbers from 11 to 99

11	**12**	**13**	**14**	**15**	**16**
十一	十二	十三	十四	十五	十六
shíyī	shí'èr	shísān	shísì	shíwǔ	shíliù
17	**18**	**19**	**20**	**30**	**40**
十七	十八	十九	二十	三十	四十
shíqī	shíbā	shíjiǔ	èrshí	sānshí	sìshí
50	**60**	**70**	**80**	**90**	**99**
五十	六十	七十	八十	九十	九十九
wǔshí	liùshí	qīshí	bāshí	jiǔshí	jiǔshíjiǔ

52

2. 年、月、日、星期的表示法 Expressions of year, month, date and day of the week

十二个月是数字 1~12 后加上"月"。
例如：六月(6 月)
　　　　liù yuè

日的表示法是数字 1~31 后加上
"日"或者"号"。
例如：十八号(18 号)
　　　　shí bā hào

2006 年

6 月

18 号

星期日

年的读法是直接读出每个数字。
例如：二零零六年(2006 年)
　　　　èr líng líng liù nián

星期的表示法是"星期"后加上数字
1~6，第七天是星期日或星期天。
例如：星期一　　星期天(星期日)
　　　　xīng qī yī　xīng qī tiān(xīng qī rì)

The order of telling time is year, month, day and week. E.g. 2006 年 6 月 18 日，星期日.

3. 属相 Chinese Zodiac

属相	出生年份	属相	出生年份
鼠	1960 1972 1984 1996	马	1966 1978 1990 2002
牛	1961 1973 1985 1997	羊	1967 1979 1991 2003
虎	1962 1974 1986 1998	猴	1968 1980 1992 2004
兔	1963 1975 1987 1999	鸡	1969 1981 1993 2005
龙	1964 1976 1988 2000	狗	1970 1982 1994 2006
蛇	1965 1977 1989 2001	猪	1971 1983 1995 2007

53

7 今天几号

1. 今天三号。
   今天……。

2. 今天星期四。
   今天……。

3. 他1988年出生，属龙。
   ……年出生，属……。

我   我爸爸   我妈妈

趁热打铁 *Strike While the Iron Is Hot*

今天几号？星期几？
明天呢？

54

第二部分 | Part II

词语 | Words

1.	昨天	zuótiān	yesterday	6.	一起	yìqǐ	together
2.	啊	à / a	ah	7.	吃	chī	to eat
3.	用	yòng	to use	8.	饭	fàn	meal
4.	晚上	wǎnshang	evening, night	9.	吧	ba	modal particle
5.	我们	wǒmen	we, us				

课文二 | Text 2

(Scene: Andrew is chatting with Karen.)

安 德 鲁： 卡伦，今天星期四吗？
Āndélǔ: Kǎlún, jīntiān xīngqīsì ma?

卡 伦： 今天不是星期四，昨天星期四。
Kǎlún: Jīntiān bū shì xīngqīsì, zuótiān xīngqīsì.

安 德 鲁： 今天几号？
Āndélǔ: Jīntiān jǐ hào?

卡 伦： 九月四号。今天是你的生日。
Kǎlún: Jiǔ yuè sì hào. Jīntiān shì nǐ de shēngri.

安 德 鲁： 啊，我忘了。谢谢你！
Āndélǔ: À, wǒ wàng le. Xièxie nǐ!

卡 伦： 不用谢。晚上我们一起吃饭吧。
Kǎlún: Bū yòng xiè. Wǎnshang wǒmen yìqǐ chīfàn ba.

安 德 鲁： 好啊！
Āndélǔ: Hǎo a!

注释 | Notes

1. 名词谓语句 Sentence with a nominal predicate

① A sentence in which the main element of the predicate is a noun, a nominal construction or a numeral-measure phrase is called a sentence with a nominal predicate. Such a sentence is mainly used to indicate time, age, native place or quantity, etc. E.g.

Subject (S)	Predicate (P)
今天	三号。
今天	星期四。
昨天	星期二。

② The negative form is "Subject+ 不是 +predicate".

Subject (S)	Predicate (P)
今天	不是三号。
今天	不是星期四。
昨天	不是星期二。

2. 吧 (1) The modal particle "吧" (1)

The modal particle "吧" is often used at the end of the sentence to indicate consultation, suggestion, request or agreement. E.g.

1. 晚上我们一起吃饭吧。（建议）
2. 好吧。（同意）

句型操练 | Pattern Drills

| 星期三 | 6月25日 | 他的生日 |

1. 今天不是星期四。昨天星期四。
   今天不是……。昨天……。

2. 今天是你的生日。
   ……是你的生日。

日 历		
18	**19**	**20**
昨 天	今 天	明 天

趁热打铁 Strike While the Iron Is Hot

请说出他们的生日是几月几号。

	生　日
我爸爸	
我妈妈	
我老师	
我同学	

词语扩展 | Vocabulary Extension

日 rì	一 yī	二 èr	三 sān	四 sì	五 wǔ	六 liù
16 复活节 16 fùhuójié	**17** 二十 17 èrshí	**18** 廿一 18 èrshíyī	**19** 廿二 19 èrshí'èr	**20** 谷雨 20 gǔyǔ	**21** 廿四 21 èrshísì	**22** 廿五 22 èrshíwǔ
大 前 天 dà qiántiān	前 天 qiántiān	昨 天 zuótiān	今 天 jīntiān	明 天 míngtiān	后 天 hòutiān	大 后 天 dà hòutiān

听与说 | Listening and Speaking

一 看图回答问题 Look and Answer

今天几号？昨天呢？前天呢？大前天呢？明天呢？后天呢？大后天呢？

日	一	二	三	四	五	六
16 复活节	**17** 二十	**18** 廿一	**19** 廿二	**20** 谷雨	**21** 廿四	**22** 廿五
大 前 天	前 天	昨 天	今 天	明 天	后 天	大 后 天

二 双人练习 Pair Work

	A	B
①		今天 17 号。
		今天星期一。
		我的生日是 12 月 25 日。
		我 1978 年出生，我属马。

	A	B
②	今天星期六吗？	_____（不）。昨天星期六。
	今天星期几？	
	今天是我的生日。我们一起吃饭吧。	

三 根据情景作出回答 Give a Response According to the Situation

1. 今天是几月几号？星期几？
2. 你的生日是几月几号？
3. 你属什么？

57

汉字 | Characters

1. 汉字笔画 Strokes of Chinese Characters（7）

Stroke	Name	Example
㇂	xié gōu	我
㇙	shù tí	很

2. 汉字偏旁 Sides of Chinese Characters（4）

日	rì zì páng	昨	尸	shī zì tóu	属

3. 汉字组合 Composition of Chinese Characters（4）

日字旁 rì zì páng	日 + 乍 日 + 月 日 + 免	昨 明 晚
尸字旁 shī zì tóu	尸 + 禹	属

读与写 | Reading and Writing

一 选词填空 Fill in the Blank

1. 今天星期一，昨天（　　）？　　　　　　（呢，吗，吧）
2. 晚上我们一起吃饭（　　）。　　　　　　（呢，吗，吧）
3. 我属龙，你（　　）？　　　　　　　　　（呢，吗，吧）

二 把括号里的词填入适当的位置 Put the Words into the Appropriate Place

1. A 今天 B 号 C？　　　　　　　　　　（几）
2. A 明天 B 星期 C？　　　　　　　　　　（几）
3. A 今天 B 四月二十六号 C。　　　　　　（不是）

三 填写并完成对话 Fill in the Blanks and Complete the Conversations

①

A：＿＿＿＿＿＿＿＿＿＿＿＿？（几）

B：今天五号。

A：＿＿＿＿＿＿＿＿＿＿＿＿？（几）

B：星期六。

A：今天是我的生日。

B：＿＿＿＿＿＿＿＿＿＿＿＿。（什么）

A：我属龙。

②

A：＿＿＿＿＿＿＿＿＿＿＿＿？（吗）

B：不是，今天星期三。

A：＿＿＿＿＿＿＿＿＿＿＿＿？（几）

B：今天六月十九号。今天是你的生日。

A：啊，我忘了，谢谢你。

B：不用谢。＿＿＿＿＿＿＿＿＿＿＿＿。（吧）

四 朗读短文 Read Aloud

　　我叫安德鲁。我是美国人。今天九月三号，星期四。明天九月四号。明天是我的生日。我1988年出生，属龙。明天晚上我、卡伦、马克一起吃饭。

Wǒ jiào Āndélǔ. Wǒ shì Měiguórén. Jīntiān jiǔ yuè sān hào, xīngqīsì. Míngtiān jiǔ yuè sì hào. Míngtiān shì wǒ de shēngri. Wǒ yījiǔbābā nián chūshēng, shǔ lóng. Míngtiān wǎnshang wǒ, Kǎlún, Mǎkè yìqǐ chīfàn.

五 汉字练习 Chinese Characters

汉 字	笔 顺
我	我 我 我 我 我 我 我
很	很 很 很 很 很 很 很 很
昨	昨 昨 昨 昨 昨 昨 昨 昨
明	明 明 明 明 明 明 明 明

六 语音练习 Pronunciation

tiānqì rè le
天气热了

bǎobao lè le
宝宝乐了

第 **8** 课

现在几点

Xiànzài jǐ diǎn

句子 | Sentences

036	What time is it now?	现在几点? Xiànzài jǐ diǎn?
037	I have class at 8 o'clock.	我八点上课。 Wǒ bā diǎn shàngkè.
038	When will the airplane arrive?	飞机几点到? Fēijī jǐ diǎn dào?
039	Do you have class tomorrow afternoon?	你明天下午有课吗? Nǐ míngtiān xiàwǔ yǒu kè ma?
040	I'll set out at a quarter to 2.	我差一刻两点出发。 Wǒ chà yí kè liǎng diǎn chūfā.

61

第一部分 | Part I

词语 | Words

1.	现在	xiànzài	now		**6.**	快	kuài	quick	
2.	点	diǎn	o'clock		**7.**	起床	qǐchuáng	to get up	
3.	刻	kè	quarter		**8.**	上午	shàngwǔ	morning	
4.	哎呀	āiya	ah		**9.**	课	kè	class	
5.	上/下课	shàng/xiàkè	to attend/dismiss class		**10.**	分	fēn	minute	

(Scene: Karen is chatting with Huimei in the dormitory.)

卡 伦： 惠美，现在几点？
Kǎlún:　Huìměi, xiànzài jǐ diǎn?

惠 美： 七点一刻。
Huìměi:　Qī diǎn yí kè.

卡 伦： 哎呀，我八点上课。
Kǎlún:　Āiya, wǒ bā diǎn shàngkè.

惠 美： 快起床吧！
Huìměi:　Kuài qǐchuáng ba!

卡 伦： 好。你今天上午有课吗？
Kǎlún:　Hǎo. Nǐ jīntiān shàngwǔ yǒu kè ma?

惠 美： 有，我十点十分有课。
Huìměi:　Yǒu, wǒ shí diǎn shí fēn yǒu kè.

注 释 | Notes

62

1.　时间词作状语 Temporal words as adverbials
　　　A temporal word as an adverbial modifier may be placed either between the subject and the predicate or before the subject.

Subject (S)	Predicate (P)	
	（时间状语）	V+(O)
你	几点	上课？
我	八点	上课。
我	十点十分	有课。
飞机	下午三点半	到。
我们	明天下午	没有课。

（时间状语）	Subject (S)	Predicate (P)
		V+(O)
八点	我	上课。
十点十分	我	有课。
下午三点半	飞机	到。
明天下午	我们	没有课。

2. "哎呀"

An interjection to express surprise, complaint, regret, etc. E.g.

> 1. 哎呀，我八点上课。
> 2. 哎呀，今天是我的生日。
> 3. 哎呀，我忘了。
> 4. 哎呀，对不起。

句型操练 | Pattern Drills

1. A：现在几点？
   B：现在七点一刻。

2. 我十点上课。
   我十点……。

起床　　　　　　上课　　　　　　下课

63

趁热打铁　Strike While the Iron Is Hot

现在几点？

第二部分 | Part II

词语 | Words

1.	来	lái	to come		6.	去	qù	to go
2.	飞机	fēijī	airplane		7.	机场	jīchǎng	airport
3.	到	dào	to arrive		8.	差	chà	less than
4.	下午	xiàwǔ	afternoon		9.	出发	chūfā	to start off
5.	半	bàn	half					

课文二 | Text 2

(Scene: Andrew is chatting with Karen.)

安德鲁: 明天我妈妈来北京。
Āndélǔ: Míngtiān wǒ māma lái Běijīng.

卡伦: 飞机几点到?
Kǎlún: Fēijī jǐ diǎn dào?

安德鲁: 下午三点半。
Āndélǔ: Xiàwǔ sān diǎn bàn.

卡伦: 你明天下午有课吗?
Kǎlún: Nǐ míngtiān xiàwǔ yǒu kè ma?

安德鲁: 没有课。
Āndélǔ: Méiyǒu kè.

卡伦: 你去机场吗?
Kǎlún: Nǐ qù jīchǎng ma?

安德鲁: 去,我差一刻两点出发。
Āndélǔ: Qù, wǒ chà yí kè liǎng diǎn chūfā.

注释 | Notes

钟点表示法 **How to tell time**

64

钟 点	读 法 1	读 法 2	读 法 3
2:00	两点 liǎng diǎn		
7:05	七 点 五 分 qī diǎn wǔ fēn	七点零五分 qī diǎn líng wǔ fēn	
8:15	八点十五（分） bā diǎn shí wǔ (fēn)	八点一刻 bā diǎn yí kè	
9:30	九点三十（分） jiǔ diǎn sānshí (fēn)	九点半 jiǔ diǎn bàn	
10:45	十点四十五（分） shí diǎn sìshí wǔ (fēn)	十点三刻 shí diǎn sān kè	
11:50	十一点五十（分） shíyī diǎn wǔshí (fēn)		差十分十二点 chà shí fēn shí'èr diǎn
3:45	三点四十五（分） sān diǎn sìshí wǔ (fēn)	三点三刻 sān diǎn sān kè	差一刻四点 chà yí kè sì diǎn

Notes: When we use the 12-hour time format to count a day's time, we can add 早上 (early in the morning), 上午 (morning), 中午 (noon), 下午 (afternoon), 晚上 (evening)etc . before the time words.

句型操练 | Pattern Drills

1. A：飞机几点到？
   B：飞机下午三点半到。
   A：飞机几点到？
   B：飞机……到。

2. 我差一刻两点出发。
   我……出发。

3. 你今天下午有课吗？
   你……有课吗？

日 历		
18	19	20
昨 天	今 天	明 天

趁热打铁 **Strike While the Iron Is Hot**

飞机几点到上海？

航班号	起飞	到达
CA155	北京[07:40]	上海浦东[09:35]
FM9116	北京[11:10]	上海浦东[13:10]
MU271	北京[12:00]	上海浦东[14:00]
CA177	北京[15:00]	上海浦东[16:50]
MU5156	北京[17:30]	上海浦东[19:20]
CA175	北京[18:05]	上海浦东[20:00]
CA1986	北京[19:10]	上海浦东[21:10]
FM9112	北京[19:25]	上海浦东[21:25]

词语扩展 | Vocabulary Extension

1. 时间

早上
zǎoshang

中午
zhōngwǔ

下午
xiàwǔ

晚上
wǎnshang

2. 日常生活

吃饭
chīfàn

锻炼
duànliàn

洗澡
xǐzǎo

睡觉
shuìjiào

听与说 | **Listening and Speaking**

一 看图回答问题　**Look and Answer**

1. 说时间

06:11:00

2002 年 06 月 27 日　星期四

2. 说说你的一天

一天的日程表

7:30	
7:40	
7:50	
8:20	
9:00	
12:00	
14:00	
17:00	
20:00	
23:00	
23:30	

二 双人练习　**Pair Work**

	学生A	学生B
①		现在差一刻八点。
		有，我今天上午有课。
		我十点十分有课。

	A	B
②	明天我爸爸来北京。	
	差一刻两点到。	
	我明天下午没有课。	
	去，我去机场。	
	我中午十二点出发。再见！	

三 根据情景作出回答 Give a Response According to the Situation

1. 你几点起床？

2. 你几点上课？

2. 你星期几下午有课？

汉字 | Characters

1. 汉字笔画 Strokes of Chinese Characters（8）

Stroke	Name	Example
乁	héng zhé xié gōu	飞
㇄	shù zhé	出

2. 汉字笔顺 Rules of Stroke Order（5）

Close after filling the frame	国	国	玉	玉	玉	玉	玉	玉

3. 汉字偏旁 Sides of Chinese Characters（5）

王	wáng zì páng	现		刂	lì dāo páng	到

4. 汉字组合 Composition of Chinese Characters（5）

王字旁 wáng zì páng	王 + 见	现
立刀旁 lì dāo páng	至 + 刂	到
	亥 + 刂	刻

读与写 | Reading and Writing

一 把括号里的词填入适当的位置 Put the Words into the Appropriate Place

1. A 现在 B 十二点 C。　　　　　　　（半）
2. 现在 A 六点 B 十 C。　　　　　　　（分）
3. 我 A 八点 B 一 C 上课。　　　　　　（刻）
4. 我爸爸的飞机 A 一刻 B 九点 C 到。　（差）

二 选词填空 Fill in the Blank

1. 现在九点 _____。　　　　　（分，半，刻）
2. 今天下午我 _____ 课。　　　　（不，没有）
3. 现在差五分 _____ 点。　　　　（二，两）

三 填写并完成对话 Fill in the Blanks and Complete the Conversations

①
A：_____？（几）

B：现在七点半。

A：_____？（几）

B：我八点上课。

A：_____？（几）

B：我现在出发。

②
A：今天我哥哥来北京。

B：_____？（几）

A：飞机下午五点半到。

B：_____？（吗）

A：我下午没有课。

B：_____。（几）

A：我三点出发。

四 朗读短文 Read Aloud

我妈妈明天来北京。她的飞机明天上午十一点二十分到。我明天上午没有课。我差一刻八点起床，九点出发，去机场。

Wǒ māma míngtiān lái Běijīng. Tā de fēijī míngtiān shàngwǔ shíyī diǎn èrshí fēn dào. Wǒ míngtiān shàngwǔ méiyǒu kè. Wǒ chà yí kè bā diǎn qǐchuáng, jiǔ diǎn chūfā, qù jīchǎng.

五 汉字练习 Chinese Characters

汉字	笔　　顺
飞	飞 飞 飞
出	出 出 出 出 出
现	现 现 现 现 现 现 现 现
到	到 到 到 到 到 到 到 到
国	国 国 国 国 国 国 国 国

六 语音练习 Pronunciation

我喜欢吃芝士。

Wǒ xǐhuan chī zhīshì.

地铁站在哪儿
Dìtiě zhàn zài nǎr

句子 | Sentences

041	Excuse me, how do I get to the international students' dormitory?	请问，去留学生宿舍楼怎么走？ Qǐngwèn, qù liúxuéshēng sùshè lóu zěnme zǒu?
042	Go straight and turn left at the first intersection.	一直往前走，到路口往左拐。 Yìzhí wǎng qián zǒu, dào lùkǒu wǎng zuǒ guǎi.
043	Do you know how to get to Wangfujing?	你知道去王府井怎么走吗？ Nǐ zhīdào qù Wángfǔjǐng zěnme zǒu ma?
044	Where is the subway station?	地铁站在哪儿？ Dìtiě zhàn zài nǎr?
045	Is the subway station far from here?	地铁站离这儿远吗？ Dìtiě zhàn lí zhèr yuǎn ma?

第一部分 | Part I

词语 | Words

1.	怎么	zěnme	how	6.	路口	lùkǒu	intersection
2.	走	zǒu	to walk	7.	左	zuǒ	left
3.	一直	yìzhí	straight	8.	拐	guǎi	to turn
4.	往	wǎng	towards	9.	远	yuǎn	far
5.	前	qián	front	10.	层	céng	floor

课文一 | Text 1

(Scene: Mark runs into a passerby on the road and asks him the way.)

路人： 请问，去留学生宿舍楼怎么走？
lùrén: Qǐngwèn, qù liúxuéshēng sùshè lóu zěnme zǒu?

马 克： 一直往前走，到路口往左拐。
Mǎkè: Yìzhí wǎng qián zǒu, dào lùkǒu wǎng zuǒ guǎi.

路人： 远吗？
lùrén: Yuǎn ma?

马 克： 不远。
Mǎkè: Bù yuǎn.

(Scene: The passerby comes to the reception room in the international students' dormitory building.)

路人： 请问，这是留学生宿舍楼吗?
lùrén: Qǐngwèn, zhè shì liúxuéshēng sùshè lóu ma?

服 务 员： 是。
fúwùyuán: Shì.

路人： 请问，卡伦住几层?
lùrén: Qǐngwèn, Kǎlún zhù jǐ céng?

服 务 员： 二层214房间。
fúwùyuán: Èr céng èryāosì fángjiān.

路人： 谢谢!
lùrén: Xièxie!

服 务 员： 不谢!
fúwùyuán: Bú xiè!

注 释 | Notes

1. 用 "怎么" 的问句 (1) Questions with "怎么" (1)

Questions with the interrogative pronoun "怎么" are used to ask about an action and the manner of the act. It functions as the adverbial modifier of the sentence and should be placed before the predicate.

Subject (S)	Predicate (P)	
	怎么	V
去留学生宿舍	怎么	走?
去王府井	怎么	走?

去友谊宾馆	怎么	走?
去机场	怎么	走?
去医院	怎么	走?

2.　"房间"、"层"、"楼"的表示法 Expressions of room, floor, and building number

① Room: To tell the room number, the number should be placed before "房间".

② Floor: To tell the floor number, the number should be placed before "层".

③ Building: To tell the building number, the number should be placed before "楼". You can also say "×号楼."

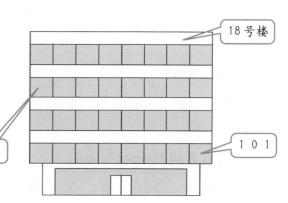

18号楼

4层

101

句型操练 | Pattern Drills

请问，去留学生宿舍楼怎么走?

请问，去……怎么走?

机场　　　　　友谊宾馆　　　　　10号楼

趁热打铁　Strike While the Iron Is Hot

1. 请问，去……怎么走?
2. ……。
3. 远吗?
4. ……。

73

第二部分 | Part II

词语 | Words

1.	知道	zhīdào	to know		6.	这儿	zhèr	here
2.	坐	zuò	to take		7.	十字路口	shízì lùkǒu	crossing
3.	地铁	dìtiě	subway		8.	右	yòu	right
4.	站	zhàn	station		9.	离	lí	from
5.	从	cóng	from					

专有名词 Proper Nouns

王府井	Wángfǔjǐng	Wangfujing

课文二 | Text 2

(Scene: Andrew runs into Karen on the way.)

安德鲁: 卡伦，你知道去王府井怎么走吗？
Āndélǔ: Kǎlún, nǐ zhīdào qù Wángfǔjǐng zěnme zǒu ma?

卡伦: 知道。你坐地铁吧。
Kǎlún: Zhīdào. Nǐ zuò dìtiě ba.

安德鲁: 地铁站在哪儿？
Āndélǔ: Dìtiě zhàn zài nǎr?

卡伦: 从这儿一直往前走，到十字路口往右拐。
Kǎlún: Cóng zhèr yìzhí wǎng qián zǒu, dào shízì lùkǒu wǎng yòu guǎi.

安德鲁: 地铁站离这儿远吗？
Āndélǔ: Dìtiě zhàn lí zhèr yuǎn ma?

卡伦: 不远。
Kǎlún: Bù yuǎn.

注释 | Notes

1. 介词 "离"、"从"、"往" Prepositions "离"，"从" and "往"
The prepositions "离"，"从"，and "往" can all be used with their objects to form preposition-object phrases, functioning as the adverbial modifier of the sentence.

① "离" + Location word: indicating distance, e.g.

1. 北京离上海很远。
2. 地铁站离这儿远吗？
3. 地铁站离这儿不远。

② "从" + Location word /Place word/Temporal word: indicating the starting point of an action, e.g.

1. 从这儿一直往前走。
2. 从这儿到机场不远。
3. 从北京到上海很远。

③ "往" + Location word: indicating direction, e.g.

1. 你到十字路口往右拐。
2. 你到路口往左拐。
3. 一直往前走。

2. "你知道……吗？" **Do you know ...**

This is another form of question, and a specific question can be put between "你知道"and "吗".

你知道	去王府井怎么走 他是谁 今天几号 他住哪儿 他的电话号码是多少 他叫什么名字 马克是哪国人	吗？

句型操练 | Pattern Drills

1. 你知道去王府井怎么走吗？
   你知道……吗？

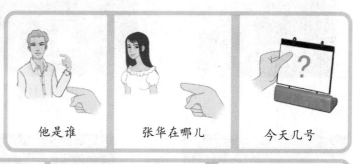

他是谁　　张华在哪儿　　今天几号

2. 地铁站在哪儿？
   ……在哪儿？

 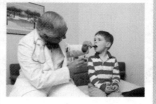 

机场　　　医院　　　留学生宿舍

3. 地铁站离这儿远吗?
……离这儿远吗?

王府井

北京饭店

机场

趁热打铁 Strike While the Iron Is Hot

1. 你知道去……怎么走吗?
3. ……在哪儿?
5. ……离这儿远吗?

2. 知道,……。
4. ……。
6. 不远。

词语扩展 | Vocabulary Extension

交 通 工 具

坐地铁
zuò dìtiě

坐出租汽车
zuò chūzū qìchē

坐公共汽车
zuò gōnggòng qìchē

坐飞机
zuò fēijī

坐船
zuò chuán

坐火车
zuò huǒchē

76

骑自行车
qí zìxíngchē

骑摩托车
qí mótuōchē

骑马
qí mǎ

听与说 | Listening and Speaking

一 看图回答问题 Look and Answer

1. 她怎么去友谊宾馆？　　2. 他怎么去上海？　　3. 他怎么去王府井？

二 双人练习 Pair Work

	学生A	学生B
①	（友谊宾馆）	一直往前走。
	（离）	不远。
	A	B
②	请问，这是友谊宾馆吗？	
	你知道6号楼怎么走吗？	知道。一直往前走，到路口往右拐。
	谢谢！	
	A	服务员
③	请问，这是留学生宿舍楼吗？	
		卡伦住214房间。
		不谢！

77

三 根据情景作出回答 **Give a Response According to the Situation**

1. 你住几层?

2. 你知道去王府井怎么走吗?

2. 你们学校离地铁站远吗?

汉字 | Characters

1. 汉字笔画 Strokes of Chinese Characters (**9**)

Stroke	Name	Example
㇃	wǒ gōu	心
㇌	héng zhé zhé piě	这

2. 汉字偏旁 Sides of Chinese Characters (**6**)

| 扌 | tí tǔ páng | 地 | | 辶 | zǒu zhī | 这 |

3. 汉字组合 Composition of Chinese Characters (**6**)

提土旁 tí tǔ páng	扌 + 也 扌 + 㐅	地 场
走 之 zǒu zhī	文 + 辶 元 + 辶 首 + 辶	这 远 道

读与写 | Reading and Writing

一 选词填空 **Fill in the Blank**

1. 上海 ＿＿＿＿＿＿ 北京远吗?　　　　　　（从，离，往，在）

78

2. 美国 ＿＿＿＿＿＿＿＿ 中国很远。　　　　　　　（从，离，往，在）

3. 你一直 ＿＿＿＿ 前走，到十字路口 ＿＿＿＿ 左拐。（从，离，往，在）

4. 我姐姐 ＿＿＿＿＿＿＿＿ 地铁站工作。　　　　　（从，离，往，在）

二 把括号里的词填入适当的位置 Put the Words into the Appropriate Place

1. A 去 B 王府井 C 走?　　　　　　　（怎么）

2. 机场 A 这儿 B 很 C 远。　　　　　　（离）

3. A 这儿 B 一直往前 C 走。　　　　　（从）

4. 你到 A 路口 B 左 C 拐。　　　　　　（往）

5. 你 A 知道 B 王府井 C?　　　　　　　（吗）

三 填写并完成对话 Fill in the Blanks and Complete the Conversations

①
A：我去友谊宾馆，＿＿＿＿＿＿＿＿?　　（怎么）
B：一直往前走，到路口往右拐。
A：＿＿＿＿＿＿＿＿＿?　　　　　　　　（离）
B：不远。

②
A：你知道地铁站在哪儿吗?
B：＿＿＿＿＿＿＿＿＿。　　　　　　　　（一直）
A：＿＿＿＿＿＿＿＿＿?　　　　　　　　（吗）
B：不远。

四 朗读短文　Read Aloud

　　你坐地铁去王府井吧。地铁站离这儿不远。从这儿一直往前走,到十字路口往左拐,啊,不,往右拐。

　　Nǐ zuò dìtiě qù wángfǔjǐng ba. Dìtiě zhàn lí zhèr bù yuǎn. Cóng zhèr yìzhí wǎng qián zǒu, dào shízì lùkǒu wǎng zuǒ guǎi, a, bù, wǎng yòu guǎi.

五 汉字练习　Chinese Characters

汉 字	笔　　顺
心	心　心　心　心
这	这　这　这　这　这　这　这

79

| 地 | 地 地 地 地 地 地 |
| 远 | 远 远 远 远 远 远 远 |

六 语音练习 Pronunciation

| 写 字 的 姿 势 | 诗 词 的 知 识 |
| xiě zì de zīshì | shīcí de zhīshi |

第 **10** 课

苹果多少钱一斤

Píngguǒ duōshao qián yì jīn

句子 | Sentences

046	How much is 500g of apples?	苹果多少钱一斤？ Pínguǒ duōshao qián yì jīn?
047	Do you want anything else?	还要别的吗？ Hái yào bié de ma?
048	Here is the money.	给你钱。 Gěi nǐ qián.
049	How much is the bread?	面包怎么卖？ Miànbāo zěnme mài?
050	It's 50 kuai, and here is 35 kuai and 7 mao change.	这是五十块，找您三十五块七。 Zhè shì wǔshí kuài, zhǎo nín sānshiwǔ kuài qī.

第一部分 | Part I

词语 | Words

1.	要	yào	to want, to need	7.	别的	bié de	other
2.	苹果	píngguǒ	apple	8.	香蕉	xiāngjiāo	banana
3.	钱	qián	money	9.	买	mǎi	to buy
4.	斤	jīn	jin (unit of weight)	10.	一共	yígòng	in total
5.	块	kuài	kuai (unit of currency)	11.	给	gěi	to give
6.	还	hái	still				

课文一 | Text 1

(Scene: Karen is buying fruit in the shop.)

售货员： 你要什么？
shòuhuòyuán: Nǐ yào shénme?

卡伦： 苹果多少钱一斤？
Kǎlún: Píngguǒ duōshao qián yì jīn?

售货员： 三块五。
shòuhuòyuán: Sān kuài wǔ.

卡伦： 三块吧。
Kǎlún: Sān kuài ba.

售货员： 你要几斤？
shòuhuòyuán: Nǐ yào jǐ jīn?

卡伦： 我要两斤。
Kǎlún: Wǒ yào liǎng jīn.

售货员： 还要别的吗？
shòuhuòyuán: Hái yào bié de ma?

卡伦： 香蕉多少钱一斤？
Kǎlún: Xiāngjiāo duōshao qián yì jīn?

售货员： 十块钱三斤。
shòuhuòyuán: Shí kuài qián sān jīn.

卡伦： 我买三斤。一共多少钱？
Kǎlún: Wǒ mǎi sān jīn. Yígòng duōshao qián?

售货员： 一共十六块。
shòuhuòyuán: Yígòng shíliù kuài.

卡伦： 给你钱。
Kǎlún: Gěi nǐ qián.

注释 | Notes

1. 认识人民币 **Get to know RMB**

10 元
20 元
50 元
100 元

1 分

5 角
1 元
2 元
5 元

2. 钱数的读法　How to count money

钱 数	读 法	拼 音
610元	六百一十块	liùbǎi yīshí kuài
58元	五十八块	wǔshíbā kuài
8元	八块	bā kuài
2.22元	两块二毛二	liǎng kuài èr máo èr
1.05元	一块零五（分）	yī kuài líng wǔ(fēn)

3. 副词 "还" Adverb "还"

The adverb "还" is used before the predicate to express the repetition of an action, and indicate the action does not complete.

Subject (S)	Predicate (P)	
	还 +V	Object (O)
你	还要	什么?
我	还要	一斤苹果。
你	还买	什么?

句型操练 | Pattern Drills

1. 还要别的吗?
   还要……吗?

苹果　　香蕉

2. 给你钱。
   给你……。

苹果　　香蕉　　手机

趁热打铁　Strike While the Iron Is Hot

3.5元/斤　　　　　　10元/3斤

83

词 语 | Words

1.	面包	miànbāo	bread		6.	牛奶	niúnǎi	milk
2.	卖	mài	to sell		7.	特价	tèjià	special offer
3.	毛	máo	mao(unit of currency)		8.	袋	dài	sack, bag
4.	可乐	kělè	cola		9.	这	zhè	this
5.	瓶	píng	bottle		10.	找	zhǎo	to give change

课文二 | Text 2

(Scene: In the grocery store, Mark buys some food.)

马 克：　你好。面包怎么卖？
Mǎkè:　Nǐ hǎo. Miànbāo zěnme mài?

售货员：　九毛一个。你要几个？
shòuhuòyuán:　Jiǔ máo yí ge. Nǐ yào jǐ ge?

马 克：　两个吧。可乐多少钱一瓶？
Mǎkè:　Liǎng ge ba. Kělè duōshao qián yì píng?

售货员：　两块五。
shòuhuòyuán:　Liǎng kuài wǔ.

马 克：　我要三瓶。
Mǎkè:　Wǒ yào sān píng.

售货员：　你要牛奶吗？今天牛奶特价。
shòuhuòyuán:　Nǐ yào niúnǎi ma? Jīntiān niúnǎi tèjià.

马 克：　多少钱？
Mǎkè:　Duōshao qián?

售货员：　五块钱三袋。
shòuhuòyuán:　Wǔ kuài qián sān dài.

马 克：　我要三袋。一共多少钱？
Mǎkè:　Wǒ yào sān dài. Yígòng duōshao qián?

售货员：　十四块三。
shòuhuòyuán:　Shísì kuài sān.

马 克： 给 你 钱。
Mǎkè： Gěi nǐ qián.

售 货 员： 这 是 五 十 块，找 您 三 十 五 块 七。
shòuhuòyuán： Zhè shì wǔshí kuài, zhǎo nín sānshíwǔ kuài qī.

注 释 | Notes

1. 数量词组 Numeral-measure word phrase

The structure of "numeral+measure word+noun" indicates the amount of things in Chinese. Every noun has its specific measure word.

数 词 Numeral word	量 词 Measure word	名 词 Noun
一	斤	苹果
三	个	面包
四	瓶	可乐
五	袋	牛奶

2. "给" / "找" +双宾语 "给" / "找" + Object 1 + Object 2

Some verbs such as "给" or "找" may take two objects. The first one usually refers to people, and the second one usually refers to an object.

Subject (S)	Predicate (P)		
	给	Object (O1)	Object (O2)
我	给	你	100 块。

Subject (S)	Predicate (P)		
	找	Object (O1)	Object (O2)
我	找	你	三十五块七

句型操练 | Pattern Drills

1. 苹果多少钱一斤?
   ……多少钱一……?

牛奶　　　　可乐　　　　面包

2. 面包怎么卖?

……怎么卖?

手机　　苹果　　香蕉

3. 这是五十,找您三十五块七。

这是……,找您……。

找 **0.25** 元　　找 **2.2** 元　　找 **8.2** 元

趁热打铁　Strike While the Iron Is Hot

0.9元/个　　2.5元/瓶　　10元/3袋

词语扩展 | Vocabulary Extension

水　果

西瓜　　猕猴桃　　梨　　草莓
xīguā　　mí hóutáo　　lí　　cǎoméi

饮 料

 雪碧 xuěbì

 芬达 fēndá

 美年达 měiniándá

 七喜 qīxǐ

听与说 | Listening and Speaking

一　看图回答问题 Look and Answer

1. 这些水果多少钱一斤?

1.5元/斤　　4元/斤　　8元/斤　　2元/斤　　2.5元/斤

2. 这些饮料多少钱一瓶?

2.5元/瓶　　5元/瓶　　3元/瓶

二　双人练习 Pair Work

	学生 A	学生 B
①		西瓜三块二一斤。
	三块吧。我要个大的。	八斤。_____?
	草莓_____?	七块一斤,十三块钱两斤。
	我买两斤。_____?	一共_____块。
		这是五十块,找您_____块。

	A	B
②		面包 _____?
	一块五一个。你要几个?	五个吧。
	还要别的吗?	雪碧 _____?
	三块一瓶。_____?	
	我要两瓶。	
	一共 _____。	给你钱。

三 根据情景作出回答 Give a Response According to the Situation

1. 苹果多少钱一斤?

2. 可乐一瓶多少钱?

3. 牛奶怎么卖?

汉字 | Characters

1. 汉字笔画 Strokes of Chinese Characters（**10**）

Stroke	Name	Example
一	héng gōu	买
乛	héng zhé zhé zhé gōu	奶

2. 汉字偏旁 Sides of Chinese Characters（**7**）

心	xīn zì dǐ	怎	纟	jiǎo sī páng	给

3. 汉字组合 Composition of Chinese Characters（**7**）

心字底 xīn zì dǐ	乍 + 心	怎
	你 + 心	您
绞丝旁 jiǎo sī páng	纟 + 合	给

读与写 | Reading and Writing

一 读钱数 Read the Sums

0.02 元	0.15 元	2.02 元
2.8 元	10.5 元	10.05 元
45.89 元	2.00 元	0.2 元
210 元	629 元	380 元

二 把括号里的词填入适当的位置 Put the Words into the Appropriate Place

1. A 您 B 要 C 别的吗？　　　　　　（还）
2. 你 A 买 B 什么 C？　　　　　　　（还）
3. 香蕉一 A 多少 B 钱 C？　　　　　（斤）
4. 一共三十 A 六 B 八 C。　　　　　（块）

三 填写并完成对话 Fill in the Blanks and Complete the Conversations

①
A：_____？　　　（多少）

B：苹果一斤五块。_____？　　（几）

A：我要三斤。

B：_____？　　　（别的）

A：不要。_____？　　　（一共）

B：十五块。

②
A：_____？　　　（怎么）

B：面包九毛一个。_____？　　（几）

A：我要两个。

B：今天可乐特价。

A：_____？　　　（多少）

B：五块钱三瓶。

A：我买三瓶。＿＿＿＿＿＿＿？　　（一共）

B：六块八。

A：给你十块。

B：＿＿＿＿＿＿＿＿＿。　　（找）

四 朗读短文 Read Aloud

　　今天牛奶、可乐特价。可乐一瓶两块二。牛奶三袋五块钱。我要三瓶可乐，三袋牛奶。一共十一块六毛钱。我给他二十，他找我八块四。

　　Jīntiān niúnǎi, kělè tèjià. Kělè yì píng liǎng kuài èr. Niúnǎi sān dài wǔ kuài qián. Wǒ yào sān píng kělè, sān dài niúnǎi. Yígòng shíyī kuài liù máo qián. Wǒ gěi tā èrshí, tā zhǎo wǒ bā kuài sì.

五 汉字练习 Chinese Characters

汉字	笔　　顺
买	买 买 买 买 买 买
奶	奶 奶 奶 奶 奶
怎	怎 怎 怎 怎 怎 怎 怎 怎 怎
给	给 给 给 给 给 给 给 给 给

六 语音练习 Pronunciation

这是一本介绍中国杂技的杂志。

Zhè shì yì běn jièshào Zhōngguó zájì de zázhì.

90

第 11 课

你想买什么

Nǐ xiǎng mǎi shénme

句子 | Sentences

051	I want to buy some checked writing pads.	我想买田字格本。 Wǒ xiǎng mǎi tiánzìgé běn.
052	Why could you buy so many?	你怎么买这么多？ Nǐ zěnme mǎi zhème duō?
053	I'll go to the book store this afternoon, will you come?	下午我去书店，你去不去？ Xiàwǔ wǒ qù shū diàn, nǐ qù bú qù?
054	I'm going to buy some tapes.	我去买磁带。 Wǒ qù mǎi cídài.
055	More than 20 kuai.	大概二十多块钱。 Dàgài èrshí duō kuài qián.

第一部分 | Part I

词语 | Words

1.	想	xiǎng	to think	8.	努力	nǔlì	to try hard
2.	田字格	tiánzìgé	checked writing (pads)	9.	练习	liànxí	to exercise
3.	本	běn	book	10.	汉字	Hànzì	Chinese character
4.	种	zhǒng	kind				
5.	百	bǎi	hundred	11.	铅笔	qiānbǐ	pencil
6.	这么	zhème	so	12.	橡皮	xiàngpí	eraser
7.	多	duō	many, much	13.	那边	nà biān	there

课文一 | Text 1

(Scene: Mark is looking for checked writing pads in the supermarket.)

售货员： 您想买什么？
shòuhuòyuán: Nín xiǎng mǎi shénme?

马 克： 我想买田字格本。
Mǎkè: Wǒ xiǎng mǎi tiánzìgé běn.

售货员： 是这种吗？
shòuhuòyuán: Shì zhè zhǒng ma?

马 克： 对。多少钱一本？
Mǎkè: Duì. Duōshao qián yì běn?

售货员： 八毛一本。
shòuhuòyuán: Bā máo yì běn.

马 克： 我买一百本。
Mǎkè: Wǒ mǎi yìbǎi běn.

售货员： 你怎么买这么多？
shòuhuòyuán: Nǐ zěnme mǎi zhème duō?

马 克： 我要努力练习汉字。
Mǎkè: Wǒ yào nǔlì liànxí Hànzì.

售货员： 还要别的吗？
shòuhuòyuán: Háiyào bié de ma?

马 克： 还要铅笔和橡皮。
Mǎkè: Háiyào qiānbǐ hé xiàngpí.

售货员： 铅笔和橡皮在那边。
shòuhuòyuán: Qiānbǐ hé xiàngpí zài nà biān.

马 克： 谢谢。
Mǎkè: Xièxie.

注释 | Notes

1. 能愿动词"想"和"要" Modal verbs "想" and "要"

   Modal verbs are usually placed before verbs. Generally, they indicate ability, request, desire, possibility, etc.

   ① The modal verb "想" indicates desire and intention.

Subject (S)	Predicate (P)		
	想	V	Object (O)
你	想	买	什么?
我	想	买	田字格本。
我	想	吃	苹果。
我	想	去	机场。

② The negative form is "不"

Subject (S)	Predicate (P)		
	不想	V	Object (O)
我	不想	吃	苹果。
我	不想	买	田字格本。
我	不想	去	机场。

③ The modal verb "要" indicates the desire to do something.

Subject (S)	Predicate (P)		
	要	V	Object (O)
你	要	吃	什么?
我	要	买	牛奶。
我	要	去	医院。
我	要	努力学习	汉字。

Note: The negative form of the modal verb "要" is "不想", instead of "不要" which means "Don't".

2. 用"怎么"的问句(2) Questions with "怎么"(2)

The interrogative pronoun "怎么" is put before the verb to ask about reason. E.g.

Subject (S)	Predicate (P)		
	怎么	V	Object (O)
你	怎么	买	这么多?
他	怎么	要	这么多?
你们	怎么	吃	这么少?

句型操练 | Pattern Drills

1. 我想买田字格本。

　　我想买……。

铅笔

橡皮

2. 你怎么买这么多？
   你怎么……这么多？

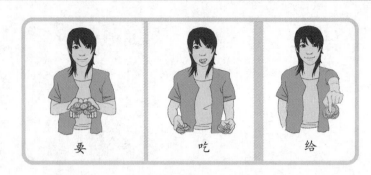

要   吃   给

趁热打铁 *Strike While the Iron Is Hot*

1. 你想买什么？
3. ……。
5. 还要别的吗？

2. 我想买……，多少钱一……？
4. 我买……。
6. ……。

第二部分 | Part II

词语 | Words

1.	书店	shū diàn	book shop	6.	大概	dàgài	about
2.	磁带	cí dài	tape	7.	太	tài	too
3.	跟	gēn	with	8.	贵	guì	expensive
4.	词典	cí diǎn	dictionary	9.	咱们	zánmen	we, us
5.	当然	dāngrán	of course				

课文二 | Text 2

(Scene: Mark is chatting with Andrew in the classroom.)

马克：下午我去书店，你去不去？
Mǎkè： Xiàwǔ wǒ qù shū diàn, nǐ qù bu qù?

安德鲁：你去书店买什么？
Āndélǔ： Nǐ qù shū diàn mǎi shénme?

马克：我去买磁带。
Mǎkè： Wǒ qù mǎi cídài.

安德鲁：我跟你一起去吧。我想买词典。
Āndélǔ： Wǒ gēn nǐ yìqǐ qù ba. Wǒ xiǎng mǎi cídiǎn.

马克：你买什么词典？
Mǎkè： Nǐ mǎi shénme cídiǎn?

安德鲁：当然是英汉—汉英词典。
Āndélǔ： Dāngrán shì yīng hàn—hàn yīng cídiǎn.

马克：你知道英汉—汉英词典多少钱吗？
Mǎkè： Nǐ zhīdào yīng hàn—hàn yīng cídiǎn duōshao qián ma?

安德鲁：大概二十多块钱。
Āndélǔ： Dàgài èrshí duō kuài qián.

马克：不太贵，我也想买一本。
Mǎkè： Bú tài guì, wǒ yě xiǎng mǎi yì běn.

安德鲁：咱们几点出发？
Āndélǔ： Zánmen jǐ diǎn chūfā?

马克：一点吧。
Mǎkè： Yī diǎn ba.

注释 | Notes

1. 正反疑问句 **Affirmative-negative questions**

① An affirmative-negative question is formed by juxtaposing the affirmative and negative forms of the predicate's main part.

② Affirmative-negative questions with a verbal predicate

Without an object

Subject (S)	Predicate (P)
	V + 不 + V
你	买不买?

你	去不去？
你	吃不吃？

With an object

Subject (S)	Predicate (P)	
	V + 不 + V	Object (O)
你	买不买	牛奶？
你	去不去	上海？
你	吃不吃	苹果？

Or

Subject (S)	Predicate (P)	
	V+Object (O)	不 +V
你	买牛奶	不买？
你	去医院	不去？
你	吃苹果	不吃？

③ When the main element of the predicate is modal verb + verb, the affirmative-negative question is formed as

Subject (S)	Predicate (P)		
	想 + 不 + 想	V	Object (O)
你	想不想	买	牛奶？
你	想不想	去	上海？

④ Affirmative-negative questions with an adjective predicate

Subject (S)	Predicate (P)
	Adj. + 不 + Adj.
王府井	远不远？
词典	贵不贵？

Note: When the verb "有" is used as the predicate, the affirmative-negative question is formed in a different way.

Subject (S)	Predicate (P)	
	有没有	Object (O)
你	有没有	哥哥？
你	有没有	汉英词典？

2. "多" 表示概数 Expressions of approximation with "多"

"多" is used after a numeral to express approximation.

① Integers: "十", "百", etc.

数词 Numeral	多	量词 Measure word	名词 Noun
二十	多	块	钱
一百	多	块	钱
两百	多	本	词典

② One-digit numbers.

数词 Numeral	量词 Measure word	多	名词 Noun
六	毛	多	钱
九	块	多	钱

句型操练 | Pattern Drills

1. 下午我去书店，你去不去？
   下午我去……，你去不去？

2. 我去买磁带。
   我去买……。

3. 大概二十多块钱。
   大概……多……。

王府井

机场

词典

铅笔

趁热打铁 Strike While the Iron Is Hot

你知道……多少钱吗？

大概……

97

词语扩展 | Vocabulary Extension

文 具

圆珠笔	签字笔	钢笔	毛笔
yuánzhūbǐ	qiānzìbǐ	gāngbǐ	máobǐ

词 典

听与说 | Listening and Speaking

一 看图回答问题 Look and Answer

1. 这是什么笔？

2. 你用什么词典？

二 双人练习 Pair Work

A	B
	我想买签字笔。
① 这种六块五。	给你钱。
这是十块，找您 _____ 。	谢谢！
还要别的吗？	
毛笔在那边。	谢谢！再见！

A	B
② 下午你去哪儿？	
你去书店买什么？	
你买什么词典？	
你知道日汉—汉日词典多少钱吗？	大概二十多块。
我也想买一本，_____ ？	好啊。

三 根据情景作出回答 Give a Response According to the Situation

1. 你的汉语书多少钱一本？
2. 你的词典多少钱一本？
3. 你的田字格本多少钱一本？

汉字 | Characters

1. 汉字笔画 Strokes of Chinese Characters （11）

Stroke	Name	Example
㇆	héng zhé tí	词
㇂	wān gōu	家

2. 汉字偏旁 Sides of Chinese Characters（8）

| 讠 | yán zì pāng | 词 | 氵 | sān diǎn shuǐ | 汉 |

3. 汉字组合 Composition of Chinese Characters（8）

言字旁 yán zì pāng	讠 + 司	词
	讠 + 果	课
	讠 + 青	请
	讠 + 隹	谁
	讠 + 吾	语
三点水 sān diǎn shuǐ	氵 + 又	汉

读与写 | Reading and Writing

一 把括号里的词填入适当的位置 Put the Words into the Appropriate Place

1. 汉英词典大概二十 **A** 块 **B** 钱 **C**。　　　（多）
2. 你 **A** 去 **B** 去 **C** 上海？　　　（不）
3. 一瓶可乐大概 **A** 两 **B** 块 **C** 钱。　　　（多）

二 选择适当的问句或答句 Choose and Complete

1. **A**：一共多少钱？

 B: _____

 ☐ 一共二十多块。
 ☐ 一共二十块多。

2. **A**: _____

 B：我想去。

 ☐ 你想去不去？
 ☐ 你想不想去？

三 填写并完成对话 Fill in the Blanks and Complete the Conversations

A：_____? （想）

B：我想买田字格本。_____? （多少）

A：九毛一本。

B：我买一百本。

A：_____? （怎么）

B：我要努力练习汉字。

A：_____? （还）

B：还要铅笔和橡皮。

四 朗读短文 Read Aloud

　　下午我去书店。我想买磁带,安德鲁想买英汉汉英词典。英汉汉英词典大概二十多块钱一本, 不太贵, 我也想买一本。

Xiàwǔ wǒ qù shū diàn. Wǒ xiǎng mǎi cídài, Āndélǔ xiǎng mǎi yīng hàn hàn yīng cídiǎn. Yīng hàn hàn yīng cídiǎn dàgài èrshí duō kuài qián yì běn, bú tài guì, wǒ yě xiǎng mǎi yì běn.

101

五 汉字练习 Chinese Characters

汉 字	笔　顺
词	词 词 词 词 词 词 词
家	家 家 家 家 家 家 家 家 家 家
请	请 请 请 请 请 请 请 请 请 请

六 语音练习 Pronunciation

这是上等的木材,	不能当木柴。
Zhè shì shàng děng de mùcái,	bù néng dàng mùchái.

我可以试试吗

Wǒ kěyǐ shìshi ma

句子 | Sentences

056	Can I try it on?	我可以试试吗? Wǒ kěyǐ shìshi ma?
057	What size do you wear?	你穿多大号的? Nǐ chuān duō dà hào de?
058	This one is a little bit small, do you have a larger one?	这件有点儿小,有没有大一点儿的? Zhè jiàn yǒudiǎnr xiǎo, yǒu mei yǒu dà yìdiǎnr de?
059	Black or brown?	黑的还是咖啡色的? Hēi de háishi kāfēi sè de?
060	Can you go a little cheaper?	能便宜一点儿吗? Néng piányi yìdiǎnr ma?

第一部分 | Part I

词语 | Words

1.	件	jiàn	(measure word)	7.	号	hào	size
2.	毛衣	máoyī	sweater	8.	小	xiǎo	small
3.	可以	kěyǐ	may, can	9.	试衣间	shì yī jiān	fitting room
4.	试	shì	to try	10.	那儿	nàr	there
5.	穿	chuān	to wear	11.	有点儿	yǒudiǎnr	a bit
6.	大	dà	large, big	12.	一点儿	yìdiǎnr	a bit

课文一 | Text 1

(Scene: Karen is buying sweater in the shop.)

卡伦:　这件毛衣多少钱?
Kǎlún:　Zhè jiàn máoyī duōshao qián?

售货员:　180 块。
shòuhuòyuán:　Yībǎi bāshí kuài.

卡伦:　我可以试试吗?
Kǎlún:　Wǒ kěyǐ shìshi ma?

售货员:　可以,你穿多大号的?
shòuhuòyuán:　Kěyǐ, nǐ chuān duō dà hào de?

卡伦:　小号的吧。
Kǎlún:　Xiǎo hào de ba.

售货员:　给你,试衣间在那儿。
shòuhuòyuán:　Gěi nǐ, shì yī jiān zài nǎr.

(After Karen tries it on, ...)

卡伦:　哎呀,这件有点儿小,有没有大一点儿的?
Kǎlún:　Āiya, zhè jiàn yǒudiǎnr xiǎo, yǒu méiyǒu dà yìdiǎnr de?

售货员:　有,你试试这件。
shòuhuòyuán:　Yǒu, nǐ shìshi zhè jiàn.

卡伦:　这件还可以。
Kǎlún:　Zhè jiàn hái kěyǐ.

103

注释 | Notes

1. "有(一)点儿"和"一点儿"　　　"有(一)点儿"and "一点儿"

"有(一)点儿" is put before an adjective as an adverbial modifier. Generally, it is used with something dissatisfying or against one's wish. "一点儿" is placed after an adjective as a complement.

有一点儿	**Adj.**	**Adj.**	一点儿
有一点儿	大	大	一点儿
有一点儿	小	小	一点儿
有一点儿	多	多	一点儿

2. "的"字结构　The structure with "的"

"的" is put after a noun or an adjective (or a noun phrase or an adjective phrase) to form a "的" structure, which functions as a noun.

多大号的？
小号的（小号的毛衣）
大号的（大号的毛衣）
26号的（**26**号的皮鞋）

什么颜色的？
黑的（黑的皮鞋）
咖啡色的（咖啡色的皮鞋）

小一点儿的（小一点儿的毛衣）
大一点儿的（大一点儿的毛衣）

3. "多＋adj."的问句 Questions with "多＋adj."

Questions with "多＋adj." can be used to ask about the magnitude, distance, length, etc. Before "多", "有" that means "to reach a certain degree or standard" can be used, but it is optional.

（有）	多	Adj.
（有）	多	大？
（有）	多	远？
（有）	多	长？

句型操练 | Pattern Drills

这件有点儿**小**，有没有**大**一点儿的？
这件有点儿……，有没有……一点儿的？

大 小 贵 便宜

趁热打铁 Strike While the Iron Is Hot

2. ……。
4. 可以，你穿多大号的？
6. 给你，试衣间在那儿。
8. 有，你试试这件。

1. 这件毛衣多少钱？
3. 我可以试试吗？
5. ……
7. 这件有点儿……，有没有……一点儿的？
9. 这件还可以。

第二部分 | Part II

词 语 | Words

1.	皮鞋	pí xié	leather shoes		7.	还是	háishi	or
2.	双	shuāng	pair		8.	咖啡色	kāfēi sè	brown
3.	打折	dǎzhé	discount		9.	正	zhēng	right
4.	喜欢	xǐhuan	like		10.	合适	héshì	suitable
5.	颜色	yánsè	color		11.	能	néng	can
6.	黑	hēi	black		12.	便宜	piányi	cheap

课文二 | Text 2

(Scene: Mark is buying shoes in the shop.)

马克: 请问,这种皮鞋多少钱一双?
Mǎkè: Qǐngwèn, zhè zhǒng pí xié duōshao qián yì shuāng?

售货员: 380 块。现在打七折,266。
shòuhuòyuán: Sānbǎi bāshí kuài. Xiànzài dǎ qī zhé, èrbǎi liùshíliù.

马克: 有没有 26 号的?
Mǎkè: Yǒu méiyǒu èrshíliù hào de?

售货员: 有。你喜欢什么颜色的?黑的还是咖啡色的?
shòuhuòyuán: Yǒu. Nǐ xǐhuan shénme yánsè de? Hēi de háishi kāfēi sè de?

马克: 黑的吧。
Mǎkè: Hēi de ba.

售货员: 你试试这双。
shòuhuòyuán: Nǐ shìshi zhè shuāng.

马克: 正合适。能便宜一点儿吗? 250,卖不卖?
Mǎkè: Zhēng héshì. Néng piányi yìdiǎnr ma? Èrbǎi wǔshí, mài bu mài?

售货员: 您给 248 吧。
shòuhuòyuán: Nín gěi èrbǎi sìshíbā ba.

105

注释 | Notes

1. 能愿动词"可以"和"能" Modal verbs "可以" and "能"

The modal verbs "可以" and "能" mean it is reasonable to do something or that circumstances permit one to do so. The negative form is "不能".

Subject (S)	Predicate (P)	
	可以／能	V
我	可以	试试吗?
你	能	便宜一点儿吗?

2. 选择问句"……还是……"Alternative questions with "……还是……"

Alternative questions with "……还是……" are used when two or more than two answers are expected.

Subject (S)	Predicate (P)
	A 还是 B
你	喜欢黑的还是咖啡色的?
你	买可乐还是牛奶?
你	学习英语还是汉语?
你	试这件还是那件?

句型操练 | Pattern Drills

黑的还是咖啡色的?
……的还是……的?

| 大 | 小 | 贵 | 便宜 |

趁热打铁　Strike While the Iron Is Hot

2.……。
4.有。你喜欢什么颜色的?
　……还是……?
6.你试试这双。

1.请问,这种鞋多少钱一双?
3.有没有……号的?
5.……吧。
7.正合适,能便宜一点儿吗? ……卖不卖?

词语扩展 | Vocabulary Extension

衣服和鞋的号码

男鞋 nán xié	女鞋 nǚ xié	衣服 yīfu
25(40)	22.5(35)	S
26(41)	23(36)	M
27(42)	23.5(37)	L
28(43)	24(38)	XL
29(44)	24.5(39)	XXL

颜 色

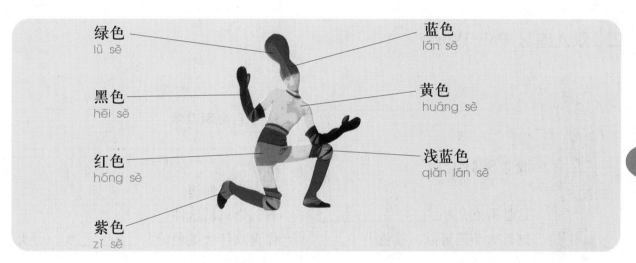

绿色 lǜ sè

蓝色 lán sè

黑色 hēi sè

黄色 huáng sè

红色 hóng sè

浅蓝色 qiǎn lán sè

紫色 zǐ sè

107

听与说 | Listening and Speaking

一 看图回答问题 **Look and Answer**

1. 你穿多大号的衣服？

2. 你穿多大号的鞋?

3. 你喜欢什么颜色?

二 双人练习 Pair Work

	留学生	售货员
①		这件毛衣 360 块。
		可以。_____?
	我穿 S 号的。	给你。
		试衣间在那边。
	这件有点儿小,_____?	有,你试试这件。
	这件大小还可以,颜色……。	你喜欢什么颜色的? _____? (还是)
	喜欢红色的。	好,请等一会儿。
	留学生	售货员
②	请问,_____?	这双鞋 980 块。
	有没有 37 的?	有,你喜欢什么颜色?
	(深棕色)	你试试这双。
	这双颜色不好,还有别的颜色吗?	还有浅棕的、黄的、红的和紫的。
	浅棕的吧。便宜一点儿吧。	你说多少钱?
	_____卖不卖?	

三 根据情景作出回答 Give a Response According to the Situation

1. 你的衣服大概多少钱?

2. 你的鞋大概多少钱?

汉字 | Characters

1. 汉字笔画 Strokes of Chinese Characters（**12**）

Stroke	Name	Example
乙	hēng zhé wān	没

2. 汉字偏旁 Sides of Chinese Characters（**9**）

⺌	sì diǎn dǐ	点	宀	bǎo gàir	字

3. 汉字组合 Composition of Chinese Characters（**9**）

四点底 sì diǎn dǐ	占 ＋ 灬	点
	里 ＋ 灬	黑
	狄 ＋ 灬	然
	隹 ＋ 灬	蕉
宝盖儿 bǎo gàir	宀 ＋ 子	字
	宀 ＋ 豕	家
	宀 ＋ 佰	宿

109

读与写 | Reading and Writing

一 把括号里的词填入适当的位置 Put the Words into the Appropriate Place

1. 你 **A** 要黑的 **B** 咖啡色的 **C**？　　　　（还是）
2. 你 **A** 有大 **B** 一点儿 **C** 吗？　　　　（的）
3. 你要 **A** 大 **B** 号的 **C**？　　　　（多）

二 选词填空 Fill in the Blank

1. 这双皮鞋 _____ 大，有小 _____ 的吗？　　　（有点儿，一点儿）
2. 这件毛衣能便宜 _____ 吗？　　　（有点儿，一点儿）

3. 我 _____ 试试吗?   (想，要，可以)

三 填写并完成对话 Fill in the Blanks and Complete the Conversations

A：_____?   (多少)

B：这件毛衣 200 块。

A：_____?   (吗)

B：可以。_____?   (多 + adj.)

A：小号的。

B：试衣间在那儿。

A：这件 _____ ，有 _____ 的吗?   (有点儿　一点儿)

B：有。你试试这件。

A：这件还可以，_____?   （一点儿）

B：180 块吧。

四 朗读短文 Read Aloud

这种皮鞋 380 块一双，现在打七折。我想买黑的，我不喜欢咖啡色的。我试 43 号的，正合适。这双皮鞋还可以便宜一点儿，248 块。

Zhè zhǒng pí xié sānbǎi bāshí kuài yì shuāng, xiànzài dǎ qī zhé. Wǒ xiǎng mǎi hēi de, wǒ bù xǐhuan kāfēi sè de. Wǒ shì sìshísān hào de, zhèng héshì. Zhè shuāng pí xié hái kěyǐ piányi yìdiǎnr, èrbǎi sìshíbā kuài.

五 汉字练习 Chinese Characters

汉 字	笔　　顺
没	没 没 没 没 没 没 没
点	点 点 点 点 点 点 点 点 点
字	字 字 字 字 字 字
家	家 家 家 家 家 家 家 家 家 家

六 语音练习 Pronunciation

四十四只石狮子

sìshísì zhī shíshīzi

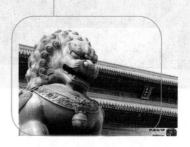

我想吃包子

Wǒ xiǎng chī bāozi

句子 | Sentences

061	I want a bowl of rice and a dish with meat.	我要一碗米饭和一个带肉的菜。 Wǒ yào yì wǎn mǐfàn hé yí ge dài ròu de cài.
062	Where is the soup?	汤呢？ Tāng ne?
063	You often eat steamed buns and steamed stuffed buns, why?	你常常吃馒头和包子，为什么？ Nǐ chángcháng chī mántou hé bāozi, wèishénme?
064	I can't use chopsticks.	我不会用筷子。 Wǒ bú huì yòng kuàizi.
065	Great.	太好了。 Tài hǎo le.

第一部分 | Part I

词语 | Words

1.	食堂	shítáng	canteen	8.	菜	cài	dish
2.	馒头	mántou	steamed bun	9.	喝	hē	to drink
3.	米饭	mǐfàn	rice	10.	鸡蛋	jīdàn	egg
4.	包子	bāozi	steamed stuffed bun	11.	汤	tāng	soup
5.	碗	wǎn	bowl	12.	咖啡	kāfēi	coffee
6.	带	dài	bring, take	13.	师傅	shīfu	form of address for
7.	肉	ròu	meat				any stranger

专有名词 Proper Nouns

| 鱼香肉丝 | yúxiāng ròusī | fish flavored shredded pork |

课文一 | Text **1**

(Scene: Andrew and Karen are talking in the classroom.)

安德鲁： 中午你去哪儿吃饭？
Āndélǔ: Zhōngwǔ nǐ qù nǎr chīfàn?

卡伦： 我去食堂吃饭。你呢？
Kǎlún: Wǒ qù shítáng chīfàn. Nǐ ne?

安德鲁： 我也去吧。
Āndélǔ: Wǒ yě qù ba.

(At noon Andrew and Karen are talking in the dining hall.)

安德鲁： 你吃馒头还是米饭？
Āndélǔ: Nǐ chī mántou háishi mǐfàn?

卡伦： 我想吃包子。你呢？
Kǎlún: Wǒ xiǎng chī bāozi. Nǐ ne?

安德鲁： 我要一碗米饭和一个带肉的菜。
Āndélǔ: Wǒ yào yì wǎn mǐfàn hé yí ge dài ròu de cài.

卡伦： 什么菜？
Kǎlún: Shénme cài?

安德鲁： 鱼香肉丝吧。
Āndélǔ: Yúxiāng ròusī ba.

卡伦： 你喝点儿什么？
Kǎlún: Nǐ hē diǎnr shénme?

安德鲁： 我想喝鸡蛋汤。
Āndélǔ: Wǒ xiǎng hē jīdàn tāng.

卡伦： 我喝咖啡。
Kǎlún: Wǒ hē kāfēi.

安德鲁： 师傅，我们要两个包子、一碗米饭、一个
Āndélǔ: Shīfu, wǒmen yào liǎng ge bāozi, yì wǎn mǐfàn, yí ge

鱼香肉丝。
yúxiāng ròusī.

卡伦： 汤呢？
Kǎlún: Tāng ne?

安德鲁： 汤在那边。
Āndélǔ: Tāng zài nà biān.

113

13 我想吃包子

注释 | Notes

1. 用"……呢"的省略问句 (2) Elliptical Questions with "呢" (2)

When there is no context, "呢" is added after a noun, pronoun, or a noun phrase to ask about location. Generally, this pattern is used to ask about the location of a person or thing, when we find they are not in the place where they should be.

张华	
卡伦	呢?
我的铅笔	
汤	

2. 动词、动词短语做定语 **Attributives of verbs or verbal phrases**

When a verb or a verb phrase is used as an attributive, "的" must be used between the attributive and the noun it qualifies.

定语[V/(V+O)]	的	中心语
带肉	的	菜
打折	的	皮鞋
属龙	的	人

114

句型操练 | Pattern Drills

1. 我要一碗米饭和一个带肉的菜。
   我要……。

苹果　　　　　菜　　　　　面包

2. 汤呢?
   ……呢?

我的手机　　　田字格本　　　安德鲁

趁热打铁 **Strike While the Iron Is Hot**

你吃点儿什么?

你喝点儿什么?

第二部分 | Part II

词 语 | Words

1.	饺子	jiǎozi	dumplings		6.	筷子	kuàizi	chopsticks
2.	面条	miàntiáo	noodle		7.	觉得	juéde	feel
3.	常常	chángcháng	often		8.	难	nán	difficult
4.	为什么	wèishénme	why		9.	教	jiāo	teach
5.	会	huì	can		10.	俩	liǎ	two

115

课文二 | Text 2

(Scene: At noon Zhang Hua and Karen are talking in the dining hall.)

张华: 卡伦,你吃饺子还是面条?
Zhāng Huá: Kǎlún, nǐ chī jiǎozi háishi miàntiáo?

卡伦: 我吃馒头。
Kǎlún: Wǒ chī mántou.

张华: 你常常吃馒头和包子,为什么?
Zhāng Huá: Nǐ chángcháng chī mántou hé bāozi, wèishénme?

卡伦: 我不会用筷子。
Kǎlún: Wǒ bú huì yòng kuàizi.

张华: 你还不会用筷子?
Zhāng Huá: Nǐ hái bú huì yòng kuàizi?

卡伦：   是 啊。我 觉得 用 筷子 太 难 了。
Kǎlún: Shì a. Wǒ juéde yòng kuàizi tài nán le.

张华：   没关系。我 教 你。
Zhāng Huá: Méiguānxi. Wǒ jiāo nǐ.

卡伦：   我 怎么 学 呢?
Kǎlún: Wǒ zěnme xué ne?

张华：   明天 晚上 我们 俩 一起 吃 面条。
Zhāng Huá: Míngtiān wǎnshang wǒmen liǎ yìqǐ chī miàntiáo.

卡伦：   太 好 了!
Kǎlún: Tài hǎo le!

注释 | Notes

1. 能愿动词 "会" Modal verb "会"

① It indicates that someone knows the way to do something.

Subject (S)	Predicate(P)		
	会	V	Object(O)
你	会	用	筷子吗?
我	会	用	筷子。
你	会	说	英语吗?

② The negative form is "不会".

Subject (S)	Predicate(P)		
	不会	V	Object(O)
我	不会	用	筷子。
我	不会	说	英语。

2. "太 + …… 了" too + ……

① It expresses compliment and exclamation in exclamatory sentences.

太	Adj.	了
太	好	了

② 太 + adj. + 了 also means that something is excessive and can show dissatisfaction.

太	Adj.	了
太	难	了
太	贵	了
太	大	了
太	小	了

句型操练 | Pattern Drills

1. 你常常吃馒头，为什么？
   你常常吃……，为什么？

米饭　　面条　　饺子

2. 我不会用筷子。
   我不会用……。

刀叉　　手机

3. 太好了！
   太……了！

大　　多　　贵

趁热打铁　Strike While the Iron Is Hot

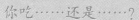
你吃……还是……？

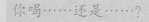
你喝……还是……？

词语扩展 | Vocabulary Extension

餐具

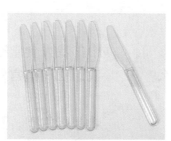

勺子　　　　刀　　　　叉(子)
sháozi　　　dāo　　　chā (zi)

117

中国菜

京酱肉丝
jīngjiàng ròusī

宫保鸡丁
gōngbǎo jīdīng

北京烤鸭
Běijīng kǎoyā

听说活动 | Listening and Speaking

一　看图回答问题 Look and Answer

1. 他想吃什么菜?

2. 你常常用什么餐具吃饭?

二　双人练习 Pair Work

A	B
	中午我去食堂吃饭。
我也去食堂吃饭。你想吃什么?	我想吃一个宫保鸡丁。_____?
我想要一个京酱肉丝。	
我不要米饭。_____?	我想喝雪碧。_____?
我想喝可乐。_____?	雪碧和可乐在那边。

食堂师傅	留学生
你好！_____?	我想吃包子。
今天饺子特价。_____?	对，我喜欢吃饺子。
要饺子吗？	不要，我要包子。
为什么？	
你还不会用筷子？	是啊，_____。
没关系，你要饺子，我教你用筷子。	_____，谢谢你！

②

三 根据情景作出回答 Give a Response According to the Situation

1. 你喜欢吃什么？
2. 你喜欢喝什么？
3. 你喜欢吃米饭还是馒头？
4. 你喜欢喝可乐还是咖啡？

汉字 | Characters

1. 汉字偏旁 Sides of Chinese Characters（10）

饣	shí zì pāng	饭	艹	cǎo zì tóu	菜

2. 汉字组合 Composition of Chinese Characters（10）

食字旁 shí zì pāng	饣 + 反 饣 + 曼 饣 + 交	饭 馒 饺
草字头 cǎo zì tóu	艹 + 采 艹 + 焦	菜 蕉

读与写 | Reading and Writing

一 把括号中的词填入适当的位置 Put the words into the Appropriate Place

1. 我 A 想要一个带肉 B 菜 C。　　　　（的）

2. 我不 **A** 用 **B** 筷子 **C**。　　　　（会）

3. 用 **A** 筷子 **B** 太难 **C**。　　　　（了）

二　选词填空 Fill in the Blank

1. 我不 _____ 汉语，我 _____ 学习。　　　（会，想，能）

2. 我要一 _____ 鱼香肉丝、一 _____ 米饭。　（碗，个，本）

3. 我的铅笔 _____？　　　　　　　（呢，吧，吗）

三　选择适当的问句或答句 Choose and Complete

1. **A:** 你喝点儿什么？

   B: _____

   □ 我吃米饭。

   □ 我喝咖啡。

2. **A:** _____

   B: 在那儿。

   □ 我的书呢？

   □ 这是我的书吗？

四　填写并完成对话 Fill in the Blanks and Complete the Conversations

A：_____？　　（还是）

B：我想吃馒头。_____？　（呢）

A：我要一碗米饭和一个带肉的菜。

B：_____？　　（什么）

A：我想喝鸡蛋汤。_____？　（呢）

B：我喝咖啡。

A：_____？　　（呢）

B：汤在那边。

五 朗读短文 Read Aloud

中午我去食堂吃饭。我常常吃馒头和包子，不吃面条。我不会用筷子，我觉得用筷子太难了。我的中国朋友张华想教我。明天晚上我们俩一起吃面条，练习用筷子。

Zhōngwǔ wǒ qù shítáng chīfàn. Wǒ chángcháng chī mántou hé bāozi, bù chī miàntiáo. Wǒ bú huì yòng kuàizi, wǒ juéde·yòng kuàizi tài nán le. Wǒ de Zhōngguó péngyou Zhāng Huá xiǎng jiāo wǒ. Míngtiān wǎnshang wǒmen liǎ yìqǐ chī miàntiáo, liànxí yòng kuàizi.

六 汉字练习 Chinese Characters

汉字	笔　顺
饭	饭 饭 饭 饭 饭 饭 饭
菜	菜 菜 菜 菜 菜 菜 菜 菜 菜 菜 菜
饺	饺 饺 饺 饺 饺 饺 饺 饺 饺

七 语音练习 Pronunciation

一块儿预习	一块玉石
yíkuàir yùxí	yí kuài yù shí

121

我去图书馆借书

Wǒ qù túshūguǎn jiè shū

句子 | Sentences

066	I want to go to the library and borrow some books.	我想去图书馆借书。 Wǒ xiǎng qù túshūguǎn jiè shū.
067	I want to borrow several English books.	我想借几本英文书。 Wǒ xiǎng jiè jǐ běn yīng wén shū.
068	English books are on the second floor, and Chinese books are on the third floor.	英文书在二层，中文书在三层。 Yīng wén shū zài èr céng, Zhōngwén shū zài sān céng.
069	Can you return a book for me?	你能替我还一本书吗? Nǐ néng tì wǒ huán yì běn shū ma?
070	I'm going to borrow some books, so I can return the book for you too.	我去借书，顺便帮你还书。 Wǒ qù jiè shū, shùnbiàn bāng nǐ huán shū.

第一部分 | Part I

词语 | Words

1.	图书馆	túshūguǎn	library	7.	英文	yīng wén	English
2.	借	jiè	to borrow	8.	卡	kǎ	card
3.	书	shū	book	9.	办	bàn	to handle
4.	陪	péi	to accompany	10.	学生证	xuésheng zhèng	student card
5.	上网	shàngwǎng	to surf the internet	11.	照片	zhàopiān	photo
6.	中文	Zhōngwén	Chinese				

课文一 | Text 1

(Scene: Andrew is chatting with Karen in the classroom.)

卡伦：　我想去图书馆借书，你能陪我去吗？
Kǎlún:　Wǒ xiǎng qù túshūguǎn jiè shū, nǐ néng péi wǒ qù ma?

安德鲁：　好吧，我去上网。
Āndélǔ:　Hǎo ba, wǒ qù shàngwǎng.

卡伦：　图书馆可以上网？
Kǎlún:　Túshūguǎn kěyǐ shàngwǎng?

安德鲁：　对。你借什么书？中文的还是英文的？
Āndélǔ:　Duì. Nǐ jiè shénme shū? Zhōngwén de háishi yīng wén de?

卡伦：　我想借几本英文书。
Kǎlún:　Wǒ xiǎng jiè jǐ běn yīng wén shū.

安德鲁：　英文书在二层，中文书在三层。
Āndélǔ:　Yīng wén shū zài èr céng, Zhōngwén shū zài sān céng.

卡伦：　上网在几层？
Kǎlún:　Shàngwǎng zài jǐ céng?

安德鲁：　在四层。你有借书卡吗？
Āndélǔ:　Zài sì céng. Nǐ yǒu jiè shū kǎ ma?

卡伦：　没有。在哪儿办借书卡？
Kǎlún:　Méiyǒu. Zài nǎr bàn jiè shū kǎ?

安德鲁：　在一层。你有学生证和照片吗？
Āndélǔ:　Zài yī céng. Nǐ yǒu xuésheng zhèng hé zhàopiàn ma?

卡伦：　有。
Kǎlún:　Yǒu.

安德鲁：　我跟你一起去办吧。
Āndélǔ:　Wǒ gēn nǐ yìqǐ qù bàn ba.

卡伦：　好啊。
Kǎlún:　Hǎo a.

123

注释 | Notes

1. 连动句 Sentences with serial verb phrases

Sentences which consist of two (or more) verbs (or verbal phrases) are called stentences with serial verbal phrases. In sentences with serial verbal phrases, "来" or "去" is often used as the first verb followed by a location object, to express the purpose of action or the manner of the action.

① To express the purpose of the action

Subject (S)	Predicate (P)			
	V1(来／去)	O1(处所)	V2	O2
他	来	（北京）	学习	英语。
我	去	（食堂）	吃	饭。
他	去	（图书馆）	借	书。
我	去	（图书馆）	上	网。

[Note] Sometimes the first verb can be omitted.

② To express the manner of the action:

Subject (S)	Predicate (P)			
	V1	O1	V2(来／去)	O2
他	坐	飞机	去	上海。
我	坐	地铁	去	王府井。

2. "几"表示概数 "几" expresses approximation

① "几" means a few or several, usually no more than 10.

几	量词 Measure word	名词 Noun
几	个	人
几	毛	钱

② "几" can be used before "十，百".

几十／百	量词 Measure word	名词 Noun
几十	块	钱
几百	个	留学生

③ "几" may occur after "十".

十几	量词 Measure word	名词 Noun
十几	个	学生
二十几	块	钱

句型操练 | Pattern Drills

1. 我想去图书馆借书。

我想去 V1+V2。

食堂／吃饭   书店／买词典   试衣间／试毛衣

2. 我想借几本英文书。

我想……几……。

买/苹果　吃/包子　带/田字格本

3. 英文书在二层，中文书在三层。

……在……。

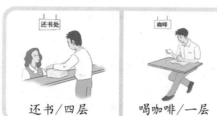

还书/四层　喝咖啡/一层　上网/四层

趁热打铁　Strike While the Iron Is Hot

你去哪儿？

你有……吗？

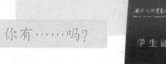

125

第二部分 | Part II

词 语 | Words

1.	朋友	péngyou	friend		**7.**	对了	duì le	by the way
2.	看	kàn	to visit, to read		**8.**	替	tì	for
3.	得	děi	have to		**9.**	还	huán	to return
4.	等	děng	to wait		**10.**	没问题	méi wèntí	no problem
5.	自己	zìjǐ	oneself		**11.**	顺便	shùnbiàn	by the way
6.	阅览室	yuèlǎn shì	reading room		**12.**	帮	bāng	to help

专有名词 Proper Noun

日本	Rìběn	Japan

课文二 | Text 2

(Scene: At noon, Karen is chatting with Huimei in the dormitory.)

卡伦: 惠美，下午我去图书馆，你去不去?
Kǎlún: Huìměi, xiàwǔ wǒ qù túshūguǎn, nǐ qù bu qù?

惠美: 下午有个日本朋友来看我，我得等他。
Huìměi: Xiàwǔ yǒu ge Rìběn péngyou lái kàn wǒ, wǒ děi děng tā.

卡伦: 没关系，我自己去吧。
Kǎlún: Méiguānxi, wǒ zìjǐ qù ba.

惠美: 你去阅览室看书吗?
Huìměi: Nǐ qù yuèlǎn shì kàn shū ma?

卡伦: 不是，我去借书。
Kǎlún: Bú shì, wǒ qù jiè shū.

惠美: 对了，你能替我还一本书吗?
Huìměi: Duì le, nǐ néng tì wǒ huán yì běn shū ma?

卡伦: 没问题。我去借书，顺便帮你还书。
Kǎlún: Méi wèntí. wǒ qù jiè shū, shùnbiàn bāng nǐ huán shū.

惠美: 谢谢你!
Huìměi: Xièxie nǐ!

卡伦: 不客气!
Kǎlún: Bú kèqi!

注释 | Notes

1. 能愿动词"得" Modal verb "得"

The modal verb "得" has the meaning that you must do something and is often used in spoken language. There is no negative form for "得".

Subject (S)	Predicate (P)		
	得	V	Object (O)
我	得	等	他。
你	得	努力练习	汉字。
你	得	去	医院。

2. "对了"

During a conversation, when you think of another topic or when you want to introduce another thing, "对了" is used to change the topic.

1. 对了，你能替我还一本书吗？

2. 对了，你能帮我问问苹果多少钱一斤吗？

3. 对了，今天 12 号吗？

3. 介词"替" Preposition "替"

The preposition "替" is used to introduce the object of an action.

Subject (S)	Predicate (P)		
	替	O	V+(O)
你	替	我	还一本书。
我	替	张华	买词典。

句型操练 | Pattern Drills

1. 你能替我还一本书吗？
   你能替我……吗？

借/词典

试/毛衣

2. 我去借书，顺便帮你还书。
   我去……，顺便帮你……。

上网/还书　　食堂/买米饭

趁热打铁　Strike While the Iron Is Hot

你能替我买……吗？

在哪儿买……？

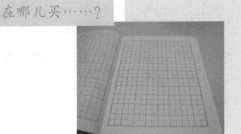

证件

工作证	身份证	学生证
gōngzuò zhèng	shēnfènzhèng	xuésheng zhèng

听说活动 | Listening and Speaking

一 看图回答问题 Look and Answer

128

下面的证件你有哪些？

二 双人练习 Pair Work

	A	B
①	我要去图书馆借书，_____？	好吧，我们一起去吧。我也想借书。
		我想借几本中文书。_____？
	我想借几本英文书。_____？	英文书在二层。你有借书卡吗？
		在图书馆一层。_____？
	我有学生证，没有照片。	明天我跟你一起去办借书卡吧。

	A	B
②	下午我去图书馆，_____?	我不去。_____?
	对，我去借书。	
	我有借书卡。	
	好吧，我去借书，顺便替你借一本汉语词典。	太好了！

三 根据情景作出回答 Give a Response According to the Situation

1. 你常常去图书馆吗?
2. 你去图书馆做什么?

汉 字 | Characters

1. 汉字偏旁 Sides of Chinese Characters（11）

口	fāng kuàng	国	彳	shuāng rén páng	很

2. 汉字组合 Composition of Chinese Characters（11）

方框 fāng kuàng	口 + 玉	国
	口 + 冬	图
双人旁 shuāng rén páng	彳 + 艮	很
	彳 + 寻	得

129

读与写 | Reading and Writing

一 把括号中的词填入适当的位置 Put the Words into the Appropriate Place

1. 你能 A 我 B 买 一本 书 C 吗? （替）
2. 我要 A 买 B 斤苹果 C。 （几）
3. 我们 A 常常 B 食堂 C 吃饭。 （去）

二 选词填空 Fill in the Blank

1. 我去买（ ）个包子。 （几，多）

2. 我只有（　　）十块钱。　　　　　　　　（几，多）

3. 我不（　　）去图书馆，我（　　）等朋友。　（得，能，会）

三　填写并完成对话 Fill in the Blanks and Complete the Conversations

A：我想去图书馆借书，_____？（陪）

B：好吧，_____。（上网）_____？（还是）

A：我想借几本中文书。_____？（几）

B：上网在一层。

四　朗读短文 Read Aloud

　　下午卡伦想去图书馆，我不能去。下午有个日本朋友来看我，我得等他。她去阅览室借书，她想借几本中文书，也想借几本英文书。我想请她替我还一本书。

　　Xiàwǔ Kǎlún xiǎng qù túshūguǎn, wǒ bù néng qù. Xiàwǔ yǒu ge Rìběn péngyou lái kàn wǒ, wǒ děi děng tā. Tā qù yuèlǎn shì jiè shū, tā xiǎng jiè jǐ běn Zhōngwén shū, yě xiǎng jiè jǐ běn yīng wén shū. Wǒ xiǎng qǐng tā tì wǒ huán yì běn shū.

五　汉字练习 Chinese Characters

汉字	笔　顺
国	国 国 国 国 国 国 国 国
图	图 图 图 图 图 图 图 图
很	很 很 很 很 很 很 很 很 很
得	得 得 得 得 得 得 得 得 得 得

六　语音练习 Pronunciation

现在人不齐，八点再走也不迟。

Xiànzài rén bù qí, bā diǎn zài zǒu yě bù chí.

我换人民币

Wǒ huàn rénmínbì

句子 | Sentences

071	Miss, I want to exchange some money.	小姐，我换人民币。 Xiǎojiě, wǒ huàn rénmínbì.
072	What's the exchange rate today?	今天的汇率是多少？ Jīntiān de huìlǜ shì duōshao?
073	Here is 1580 Yuan, and you can count it.	这是一千五百八十元人民币，您数数。 Zhè shì yìqiān wǔbǎi bāshí yuán rénmínbì, nín shǔshu.
074	How much do you want to withdraw?	您取多少钱？ Nín qǔ duōshao qián?
075	Excuse me, is there any ATM near here?	请问，附近有自动取款机吗？ Qǐngwèn, fùjìn yǒu zìdòng qǔkuǎnjī ma?

131

第一部分 | Part I

词语 | Words

1.	小姐	xiǎojiě	Miss		7.	护照	hùzhào	passport
2.	换	huàn	to exchange		8.	签	qiān	to sign
3.	人民币	rénmínbì	RMB		9.	字	zì	character
4.	美元	měiyuán	U. S. dollar		10.	千	qiān	thousand
5.	汇率	huìlǜ	exchange rate		11.	数	shǔ	to count
6.	元	yuán	yuan					

课文一 | Text 1

(Scene: Huimei is exchanging money in the bank.)

惠　美：小姐，我换人民币。
Huìměi: Xiǎojiě, wǒ huàn rénmínbì.

职　员：您换多少？
zhíyuán: Nín huàn duōshao?

惠　美：我换二百美元。今天的汇率是多少？
Huìměi: Wǒ huàn èrbǎi měiyuán. Jīntiān de huìlǜ shì duōshao?

职　员：100美元换790元人民币。请给我护照。
zhíyuán: Yìbǎi měiyuán huàn qībǎi jiǔshí yuán rénmínbì. Qǐng gěi wǒ hùzhào.

惠　美：给您。
Huìměi: Gěi nín.

职　员：请签字。
zhíyuán: Qǐng qiānzì.

惠　美：在哪儿签？
Huìměi: Zài nǎr qiān?

职　员：在这儿。
zhíyuán: Zài zhèr.

惠　美：好。
Huìměi: Hǎo.

职　员：这是一千五百八十元人民币。您数数。
zhíyuán: Zhè shì yìqiān wǔbǎi bāshí yuán rénmínbì. Nín shǔshu.

惠　美：对了。谢谢。再见！
Huìměi: Duì le. Xièxie. Zàijiàn!

职　员：请等一下儿，您的护照！
zhíyuán: Qǐng děng yíxiàr, nín de hùzhào!

注释 | Notes

1. 汇率 Exchange rate
   这是2006/04/29中国银行的汇率。

货币名称	卖出价
英镑	1469.38
港币	103.57
美元	803.08
日元	7.069
欧元	1016.87
韩元	0.8669

2. 动词＋"一下儿"　Verb＋"一下儿"

① It indicates to do something once, with the meaning "to have a try".

V	一下儿
试	一下儿
看	一下儿
等	一下儿
数	一下儿

② If there is an object, it should be placed after the " V＋一下儿 " phrase.

V	一下儿	O
试	一下儿	鞋
看	一下儿	书
等	一下儿	老师
数	一下儿	钱

③ If the object is a personal pronoun, it should be placed before " 一下儿 ".

V	O	一下儿
看	他	一下儿
等	我	一下儿

3. 动词重叠（1）Reduplication of the verb (1)

① Reduplication of the verb expresses that an action lasts for a short duration, the idea of giving something a try, or slightness of the action. It is usually used in spoken Chinese, and the speaker's tone is relaxed and casual. The reduplicated form for monosyllabic verbs is "A ⟶ AA" or "A 一 A".

A 一 A		AA
试一试	或	试试
看一看	者	看看
数一数	or	数数

133

② If there is an object, it should be placed after the reduplicated verb.

AA	(O)		A一A	(O)
试试	毛衣	或者 or	试一试	毛衣
看看	书		看一看	书
数数	钱		数一数	钱

句型操练 | Pattern Drills

1. 我换人民币。
我换……。

2. 这是一千五百八十元人民币，你数数。
这是……，你数数。

趁热打铁 Strike While the Iron Is Hot

你换什么钱？

今天的汇率是多少？

人民币

2006年2月6日

币种	价格
美元	805.43
欧元	969.12
英镑	1420.31
日元	6.7844
澳元	602.63
加元	703.57
港元	103.83

日元

美元

第二部分 | Part II

词语 | Words

1.	先生	xiānsheng	Mister		7.	密码	mìmǎ	password
2.	取	qǔ	to withdraw		8.	附近	fùjìn	near
3.	存折	cúnzhé	bankbook		9.	自动取款机	zìdòng qǔkuǎnjī	ATM
4.	万	wàn	ten thousand		10.	外边	wàibian	outside
5.	日元	rìyuán	yen		11.	小时	xiǎoshí	hour
6.	输入	shūrù	to input		12.	方便	fāngbiàn	convenient

课文二 | Text 2

(Scene: Huimei is drawing money in the bank.)

惠美: 先生，我要取钱，这是存折。
Huìměi: Xiānsheng, wǒ yào qǔ qián, zhè shì cúnzhé.

职员: 您取多少钱?
zhíyuán: Nín qǔ duōshao qián?

惠美: 两万日元。
Huìměi: Liǎngwàn rìyuán.

职员: 请输入密码。
zhíyuán: Qǐng shūrù mìmǎ.

惠美: 对吗?
Huìměi: Duì ma?

职员: 对了。……这是两万日元。给您。
zhíyuán: Duì le. ……zhè shì liǎngwàn rìyuán. Gěi nín.

惠美: 请问，附近有自动取款机吗?
Huìměi: Qǐngwèn, fùjìn yǒu zìdòng qǔkuǎnjī ma?

职员: 外边有一个自动取款机，二十四小时都
zhíyuán: Wàibian yǒu yí ge zìdòng qǔkuǎnjī, èrshísì xiǎoshí dōu

可以取钱，很方便。
kěyǐ qǔ qián, hěn fāngbiàn.

惠美: 太好了，谢谢!
Huìměi: Tài hǎo le, xièxie!

135

职员： 不客气！
zhíyuán: Bú kèqi!

注 释 | Notes

1. "先生"、"小姐"、"师傅"

   "先生"，"小姐"，and "师傅" are forms of address used by Chinese people to call another person.
   ① "先生" is used for a man. The surname can be put before "先生", e.g. "王先生".
   ② "小姐" is used for a young woman. The surname can be put before "小姐", e.g. "王小姐".
   ③ "师傅" is used in northern China. It is a form of address used for normal people, especially someone who has a certain skill or technique. The surname can be put before "师傅", e.g. "王师傅".

2. 数字"百"、"千"、"万"Numbers "百","千","万"

数 字	汉 字	拼 音
150	一百五	yìbǎiwǔ
239	两百三十九	liǎngbǎi sānshíjiǔ
2000	两千	liǎngqiān
2008	两千零八	liǎngqiān líng bā
6015	六千零一十五	liùqiān líng yīshíwǔ
7500	七千五（百）	qīqiān wǔ(bǎi)
20000	两万	liǎngwàn
25000	两万五（千）	liǎngwàn wǔ(qiān)
37860	三万七千八百六（十）	sānwàn qīqiān bābǎi liù(shí)

   Note: 200 can be read as both "二百" and "两百"；2000 can only be read as "两千"；and 20000 as "两万"。

3. "有"字句（2） Sentences with "有"(2)
   ① It indicates that a certain thing or person exists at a certain place.

Subject (S)		Predicate (P)
【处所词语】	有	Object【事物名词】
外边	有	(一个)自动取款机。
前边	有	(一个)银行。
那边	有	(几个)留学生。

   ② The negative form is "没有"：

Subject (S)		Predicate (P)
【处所词语】	没有	Object【事物名词】
外边	没有	自动取款机。
前边	没有	银行。
那边	没有	人。

句型操练 | Pattern Drills

1. 你取多少钱?

你……多少钱?

换　　　　　　　带

2. 请问,附近有自动取款机吗?

请问,附近有……吗?

银行　　　　书店

趁热打铁　Strike While the Iron Is Hot

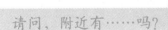
你取多少钱?

请问,附近有……吗?

137

词语扩展 | Vocabulary Extension

外币

欧元　　　　　英镑　　　　　法郎　　　　　韩元

ōuyuán　　　　yīngbàng　　　fǎláng　　　　hányuán

听与说 | Listening and Speaking

一 看图回答问题 Look and Answer

你换什么钱？换多少？

二 双人练习 Pair Work

138

① 留学生	银行女职员
_____，我要换人民币。	
我换三百欧元。_____？	**100** 欧元换 **1000** 元人民币。_____。
给您护照。	
在哪儿签字？	在这儿。
这是 _____ 元人民币，请数数。	对了，谢谢！

② 留学生	银行男职员
_____，我要取钱。	
我取三千元人民币。	请输入密码。……对了。这是 _____ _____，请数数。
对了。谢谢！	不客气，外边有个自动取款机，很方便。
太好了，谢谢！再见！	再见！

三 根据情景作出回答 Give a Response According to the Situation

1. 你换什么钱？
2. 今天的汇率是多少？
3. 你们宿舍附近有自动取款机吗？在哪儿？

汉字 | Characters

1. 汉字偏旁 Sides of Chinese Characters（12）

阝	shuāng' ěr páng	院

⺮	zhú zì tóu	等

2. 汉字组合 Composition of Chinese Characters（12）

双耳旁 shuāng' ěr páng	阝 + 完	院
	阝 + 付	附
	阝 + 音	陪
	阝 + 者	都
竹字头 zhú zì tóu	⺮ + 寺	等
	⺮ + 金	签
	⺮ + 快	筷

139

读与写 | Reading and Writing

一　读出下列数字 **Read the Figures**

185	2000	4690	5800	7813
365	10000	20982	85019	99999

二　把括号中的词填入适当的位置 **Put the Words into the Appropriate Place**

1. 附近 A 有 B 自动取款机 C。　　　（没）
2. 对不起 A，请 B 您等 C。　　　（一下儿）
3. A 外边 B 几个 C 美国留学生。　　　（有）

15 我换人民币

三 填写并完成对话 Fill in the Blanks and Complete the Conversations

A：我换人民币。

B：_____？ （多少）

A：我换二百美元。_____？ （汇率）

B：100 美元换 790 元 人民币。请给我护照。

A：给您。

B：请签字。

A：_____？ （哪儿）

B：在这儿。给你钱。

A：谢谢。

四 朗读短文 Read Aloud

在学校取钱很方便。学校有银行,银行外边还有一个自动取款机,二十四小时都可以取钱。在银行取钱你要带存折,还不能忘密码。

Zài xuéxiào qǔ qián hěn fāngbiàn. Xuéxiào yǒu yínháng, yínháng wàibian hái yǒu yí ge zìdòng qǔkuǎnjī, èrshísì xiǎoshí dōu kěyǐ qǔ qián. Zài yínháng qǔ qián nǐ yào dài cúnzhé, hái bù néng wàng mìmǎ.

140

五 汉字练习 Chinese Characters

汉字	笔 顺
都	都 都 都 都 都 都 都 都 都 都
院	院 院 院 院 院 院 院 院 院
等	等 等 等 等 等 等 等 等 等 等 等 等
签	签 签 签 签 签 签 签 签 签 签 签 签 签

六 语音练习 Pronunciation

这个厂子生产铲子。

Zhège chǎngzi shēngchǎn chǎnzi.

我妈妈给我寄了
Wǒ māma gěi wǒ jì le

一个包裹
yí ge bāoguǒ

句子 | Sentences

076	My mother has sent me a parcel by mail.	我妈妈给我寄了一个包裹。 Wǒ māma gěi wǒ jì le yí ge bāoguǒ.
077	Excuse me, where can I buy envelopes and stamps?	请问在哪儿卖信封和邮票? Qǐngwèn zài nǎr mài xìnfēng hé yóupiào?
078	The fourth window from the left.	在左边第四个窗口。 Zài zuǒbian dì sì ge chuāngkǒu.
079	I want a dozen air-mail envelopes and ten stamps, sir.	师傅,我买一打航空信封、十张邮票。 Shīfu, wǒ mǎi yì dá hángkōng xìnfēng, shí zhāng yóupiào.
080	Five for 3 kuai stamps and five for 2 kuai ones.	五张三块的,五张两块的。 Wǔ zhāng sān kuài de, wǔ zhāng liǎng kuài de.

141

第一部分 | Part I

词语 | Words

1.	邮局	yóujú	post office	8.	汉堡	hànbǎo	hamburger
2.	干	gàn	to do	9.	单	dān	form
3.	寄	jì	to mail	10.	信封	xìnfēng	envelope
4.	给	gěi	to give	11.	邮票	yóupiào	stamp
5.	包裹	bāoguǒ	parcel	12.	左边	zuǒbian	left
6.	取	qǔ	to fetch	13.	第	dì	prefix of ordinal numbers
7.	行	xíng	OK	14.	窗口	chuāngkǒu	window

专有名词 Proper Nouns

| 麦当劳 | Màidāngláo | McDonald's |

课文一 | Text 1

(Scene: Andrew and Karen are in the classroom.)

卡伦： 安德鲁，下午你陪我去邮局好吗?
Kǎlún: Āndélǔ, xiàwǔ nǐ péi wǒ qù yóujú hǎo ma?

安德鲁： 你去邮局干什么?
Āndélǔ: Nǐ qù yóujú gàn shénme?

卡伦： 我妈妈给我寄了一个包裹。我去取包裹。
Kǎlún: Wǒ māma gěi wǒ jì le yí ge bāoguǒ. Wǒ qù qǔ bāoguǒ.

安德鲁： 行。咱们去邮局，顺便去麦当劳吃汉堡吧。
Āndélǔ: Xíng. Zánmen qù yóujú, shùnbiàn qù Màidāngláo chī hànbǎo ba.

(Scene: Karen is in the post office.)

卡伦： 师傅，我取包裹。
Kǎlún: Shīfu, wǒ qǔ bāoguǒ.

职员： 给我包裹单和护照。
zhíyuán: Gěi wǒ bāoguǒ dān hé hùzhào.

卡伦： 给你。
Kǎlún: Gěi nǐ.

职员： 这是你的包裹。
zhíyuán: Zhè shì nǐ de bāoguǒ.

卡伦： 谢谢。请问在哪儿卖信封和邮票?
Kǎlún: Xièxie. Qǐngwèn zài nǎr mài xìnfēng hé yóupiào?

职员： 在左边第四个窗口。
zhíyuán: Zài zuǒbian dì sì ge chuāngkǒu.

注释 | Notes

1. 动词 + "了" Verb + "了"

① The particle " 了 " can be used after a verb to indicate realization or completion of an action. E.g.

Subject (S)	Predicate (P)	
	V 了	Object
我	买了	一件毛衣。
我	喝了	一瓶可乐。
妈妈	给我寄了	一个包裹。

Note: If the verb with a "了" takes an object , the object usually has an attributive, which, in many cases, is a numeral-measure word, an adjective, or a pronoun.

② The negative form is "没" + Verb, "了" and the attributives are deleted.

Subject (S)	Predicate (P)	
	没 +V	Object
我	没买	毛衣。
我	没喝	可乐。
妈妈	没给我寄	包裹。

③ The affirmative-negative form is "……了没有".

Subject (S)	Predicate (P)	
	V+Object	了没有?
你	买毛衣	了没有?
你	喝可乐	了没有?
妈妈	给你寄包裹	了没有?

2. "第" 表示序数 Prefix of ordinal numbers "第"

"第" is placed before the integers to express the order.

第	数词 Numeral	量词 Measure word	名词 Noun
第	四	个	窗口
第	二	本	书
第	一	个	中国朋友

句型操练 | Pattern Drills

1. 我妈妈给我寄了一个包裹。

我妈妈给我……了……。

| 买／毛衣 | 带／汉语词典 | 换／二百美元 |

2. 请问在哪儿卖信封和邮票？
请问在哪儿卖……？

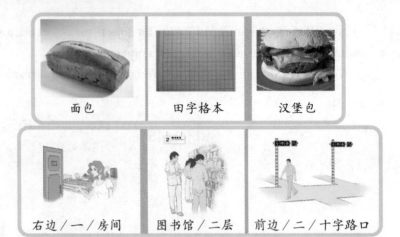

面包　　　　田字格本　　　　汉堡包

右边／一／房间　　图书馆／二层　　前边／二／十字路口

3. 在左边第四个窗口。
在……第……。

趁热打铁　Strike While the Iron Is Hot

下午你陪我去……，好吗？
你去……干什么？

银行　　　　　　书店　　　　　　医院

第二部分 | Part II

词语 | Words

1.	打	dǎ	dozen	6.	纪念 jìniàn	commemorative
2.	航空	hángkōng	air-mail	7.	种 zhǒng	kind (measure word)
3.	张	zhāng	(measure word)	8.	国际 guójì	international
4.	什么样	shénme yàng	what kind	9.	看 kàn	to look, to watch
5.	普通	pǔtōng	ordinary			

课文二 | Text 2

(Scene: Karen is in the post office.)

卡伦： 师傅，我买一打航空信封、十张邮票。
Kǎlún: Shīfu, wǒ mǎi yì dǎ hángkōng xìnfēng, shí zhāng yóupiào.

职员： 你要什么样的邮票？普通邮票还是纪念
zhíyuán: Nǐ yào shénme yàng de yóupiào? Pǔtōng yóupiào háishi jìniàn

邮 票?
yóupiào?

卡 伦: 普 通 邮 票。
Kǎlún: Pǔtōng yóupiào.

职 员: 要 多 少?
zhíyuán: Yào duōshao?

卡 伦: 五 张 三 块 的, 五 张 两 块 的。
Kǎlún: Wǔ zhāng sān kuài de, wǔ zhāng liǎng kuài de.

职 员: 给 你。一 共 四 十 七 块。
zhíyuán: Gěi nǐ. Yígòng sìshíqī kuài.

安 德 鲁: 这 儿 有 电 话 卡 吗?
Āndélǔ: Zhèr yǒu diànhuà kǎ ma?

职 员: 有。你 要 哪 种?
zhíyuán: Yǒu. Nǐ yào nǎ zhǒng?

安 德 鲁: 国 际 IP 电 话 卡 多 少 钱 一 张?
Āndélǔ: Guójì IP diànhuà kǎ duōshao qián yì zhāng?

职 员: 您 看, 这 种 一 百 块, 那 种 五 十。
zhíyuán: Nín kàn, zhè zhǒng yìbǎi kuài, nà zhǒng wǔshí.

安 德 鲁: 我 要 这 种。
Āndélǔ: Wǒ yào zhè zhǒng.

注 释 | Notes

1. "什么样" **What kind**

"什么样" is used to ask about the situation of a person or a thing. It often functions as an attributive and "的" should be added before the noun which is modified.

Subject (S)	Predicate (P)
你	要什么样的邮票?
你	买什么样的信封?
你	想借什么样的书?

2. "哪" + 量词 + (名词)   "哪" +measure word + (noun)

"哪" + measure word + (noun)" is used to ask about persons or things.

Subject (S)	Predicate (P)
你	买哪种卡?
你	要哪本词典?
你	试哪双鞋?
哪个朋友	要来北京?

句型操练 | Pattern Drills

1. 师傅，我买一打航空信封、十张邮票。

师傅，我买……。

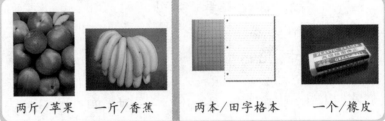

两斤/苹果　　一斤/香蕉　　两本/田字格本　　一个/橡皮

2. 五张五块的，五张两块的。

……张……的。

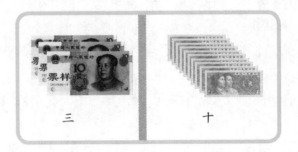

三　　　　　十

趁热打铁　Strike While the Iron Is Hot

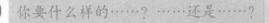
你要什么样的……？ ……还是……？

可乐 大/小　　　　　词典 英汉/汉英

词语扩展 | Vocabulary Extension

西餐店

麦当劳　　　　肯德基　　　　必胜客　　　　星巴克
Màidāngláo　　Kěndéjī　　　Bìshèngkè　　　Xīngbākè

听与说 | Listening and Speaking

一 看图回答问题 Look and Answer

1. 他常常去哪儿吃饭?

肯德基 　　　　 麦当劳 　　　　 必胜客

2. 你去邮局干什么?

取 包 裹 　　 寄 信 　　 买 信 封 　　 买 邮 票 　　 买 电 话 卡
qǔ bāoguǒ 　 jì xìn 　 mǎi xìnfēng 　 mǎi yóupiào 　 mǎi diànhuà kǎ

147

二 双人练习 Pair Work

留学生 A	留学生 B
① 下午我去邮局,你陪我一起去,好吗?	
我去取包裹,顺便买电话卡。	好,我们去邮局,顺便去星巴克喝咖啡。

留学生	邮局职员
② 师傅,我取包裹。	给我 ＿＿＿＿＿＿ 和 ＿＿＿＿＿＿。
给您。	这是你的 ＿＿＿＿＿＿＿＿＿＿。
谢谢。请问在哪儿卖 ＿＿＿＿＿＿?	电话卡在二层。

留学生	邮局女职员
③ ＿＿＿＿＿＿＿＿,我买电话卡。	
我要 IP 电话卡。	是国际 IP 电话卡吗?
对,怎么卖?	这种 50 块,那种 38。
给我便宜的那种吧,给你 50 元!	这是 ＿＿＿＿＿,找您 ＿＿＿＿＿,请数数。
对了,谢谢! 再见!	等 一下,您的电话卡!

三 根据情景作出回答 Give a Response According to the Situation

1. 你用什么样的国际电话卡？
2. 你在哪儿买电话卡？多少钱一张？
3. 打一分钟国际电话多少钱？

汉字 | Characters

1. 汉字偏旁 Sides of Chinese Characters（13）

穴	xué bǎo gài	空	西	xī zì tóu	要

2. 汉字组合 Composition of Chinese Characters（13）

穴宝盖 xué bǎo gài	穴 ＋ 工	空
	穴 ＋ 囱	窗
西字头 xī zì tóu	西 ＋ 女	要
	西 ＋ 示	票

读与写 | Reading and Writing

一 把括号中的词填入适当的位置 Put the Words into the Appropriate Place

1. 你 A 想要 B 种 C 电话卡？　　　　（哪）
2. 我今天 A 吃 B 一个汉堡 C 。　　　（了）
3. A 我 B 换 C 两万日元。　　　　　（了）

二 选择适当的问句或答句 Choose and Complete

A： 你去邮局干什么？
B： ＿＿＿＿＿＿＿＿＿
☐ 我去借书。
☐ 我去取包裹。
A： ＿＿＿＿＿＿＿＿＿
B： 我买纪念邮票。
☐ 你买什么样的邮票？
☐ 你买多少邮票？

三 填写并完成对话 Fill in the Blanks and Complete the Conversations

A： 师傅，我买一打航空信封。

B： 好。给你。

A： 我还想买邮票。

B： _____? （什么样）

A： 普通邮票。

B： _____? （多少）

A： 我要五张三块的，五张两块的。这儿有国际IP电话卡吗?

B： 有。_____? （哪）

A： 我要这种。

四 朗读短文 Read Aloud

　　我妈妈给我寄了一个包裹。我去邮局取包裹。安德鲁陪我一起去,我们顺便去麦当劳吃汉堡。我还想买一打航空信封和几张邮票。安德鲁想买国际IP电话卡。

Wǒ māma gěi wǒ jì le yí ge bāoguǒ. Wǒ qù yóujú qǔ bāoguǒ. Āndélǔ péi wǒ yìqǐ qù, wǒmen shùnbiàn qù Màidāngláo chī hànbǎo. Wǒ hái xiǎng mǎi yì dǎ hángkōng xìnfēng hé jǐ zhāng yóupiào. Āndélǔ xiǎng mǎi guójì IP diànhuà kǎ.

149

五 汉字练习 Chinese Characters

汉字	笔　顺
空	空 空 空 空 空 空 空 空
要	票 票 票 票 票 票 票 票 票 票 票
票	要 要 要 要 要 要 要 要 要

六 语音练习 Pronunciation

长城的风真大。

Chángchéng de fēng zhēn dà.

我想租一套
Wǒ xiǎng zū yí tào

带厨房的房子
dài chúfáng de fángzi

句子 | Sentences

081	The international students' dormitory is pretty good, isn't it?	留学生宿舍不是很好吗？ Liúxuéshēng sùshè bú shì hěn hǎo ma?
082	I want to rent a flat with a kitchen.	我想租一套带厨房的房子。 Wǒ xiǎng zū yí tào dài chúfáng de fángzi.
083	How is the environment in the neighborhood.	小区环境怎么样？ Xiǎoqū huánjìng zěnmeyàng?
084	There is a park on the east side of the neighborhood.	小区东边是一个公园。 Xiǎoqū dōngbian shì yí ge gōngyuán.
085	You should take a look at other places.	你应该多看看。 Nǐ yīnggāi duō kànkan.

第一部分 | Part I

词语 | Words

1.	学校	xuéxiào	school	7.	卧室（室）	wòshì (shì)	bedroom
2.	租	zū	to rent	8.	客厅（厅）	kètīng (tīng)	living room
3.	套	tào	set	9.	卫生间（卫）	wèishēngjiān (wèi)	toilet, washroom
4.	房子	fángzi	house	10.	电视	diànshì	TV
5.	厨房	chúfáng	kitchen	11.	冰箱	bīngxiāng	refrigerator
6.	就	jiù	just	12.	洗衣机	xǐyījī	washing machine

课文一 | Text 1

马 克： 我想在学校附近租一套房子。
Mǎkè： Wǒ xiǎng zài xuéxiào fùjìn zū yí tào fángzi.

卡 伦： 为什么？留学生宿舍不是很好吗？
Kǎlún： Wèishénme? Liúxuéshēng sùshè bú shì hěn hǎo ma?

马 克： 我想租一套带厨房的房子。
Mǎkè： Wǒ xiǎng zū yí tào dài chúfáng de fángzi.

卡 伦： 你想自己做饭？
Kǎlún： Nǐ xiǎng zìjǐ zuò fàn?

马 克： 对，我想学做中国菜。
Mǎkè： Duì, wǒ xiǎng xué zuò Zhōngguó cài.

卡 伦： 你要租什么样的？
Kǎlún： Nǐ yào zū shénme yàng de?

马 克： 一室一厅一卫。
Mǎkè： Yí shì yì tīng yí wèi.

卡 伦： 什么是一室一厅一卫？
Kǎlún： Shénme shì yí shì yì tīng yí wèi?

马 克： 就是一个卧室、一个客厅、一个卫生间。
Mǎkè： Jiùshì yí ge wòshì, yí ge kètīng, yí ge wèishēngjiān.

卡 伦： 还要有什么？
Kǎlún： Hái yào yǒu shénme?

马 克： 还要有电视、冰箱、洗衣机。
Mǎkè： Hái yào yǒu diànshì, bīngxiāng, xǐyījī.

151

注释 | Notes

1. 反问句"不是……吗"**Rhetorical questions with "不是……吗"**

The rhetorical question "不是……吗？"emphasizes an affirmative tone, therefore no reply is required.

Subject (S)	Predicate (P)		
	不是	Adj. / V+Object (O)	吗
留学生宿舍	不是	很好	吗？
你	不是	想租房子	吗？
马克	不是	要去邮局	吗？

2. "一室一厅一卫" One-bedroom, one-livingroom, and one-bathroom

This is an ellipsis expression. 一室一厅一卫 means one bedroom, one living room, and one bathroom. Also, we usually say:

1.	两室一厅一卫。
2.	三室一厅两卫。
3.	四室两厅两卫。

句型操练 | Pattern Drills

1. 留学生宿舍不是很好吗?
……不是很好吗?

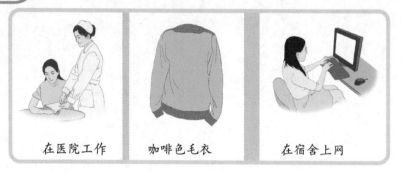

在医院工作	咖啡色毛衣	在宿舍上网

2. 我想租一套带厨房的房子。
我想……的……。

吃／带肉／菜	买／带田字格／本子	借／中文书

趁热打铁 Strike While the Iron Is Hot

你想租一套什么样的房子?

152

第二部分 | Part II

词语 | Words

1.	怎么样	zěnmeyàng	what about	7.	南边	nánbian	south
2.	房租	fángzū	rent	8.	运动场	yùndòngchǎng	playground
3.	小区	xiǎoqū	neighborhood	9.	超市	chāoshì	supermarket
4.	环境	huánjìng	environment	10.	旁边	pángbiān	beside
5.	东边	dōngbian	east	11.	考虑	kǎolǜ	to think
6.	公园	gōngyuán	park	12.	应该	yīnggāi	should

课文二 | Text 2

马克: 昨天我去看了一套房子。
Mǎkè: Zuótiān wǒ qù kàn le yí tào fángzi.

卡伦: 怎么样?
Kǎlún: Zěnmeyàng?

马克: 房租有点儿贵。一个月两千五。
Mǎkè: Fángzū yǒudiǎnr guì. Yí ge yuè liǎngqiānwǔ.

卡伦: 小区环境怎么样?
Kǎlún: Xiǎoqū huánjìng zěnmeyàng?

马克: 环境还可以。小区东边是一个公园,南边
Mǎkè: Huánjìng hái kěyǐ. Xiǎoqū dōngbian shì yí ge gōngyuán, nánbian
有一个运动场。
yǒu yí ge yùndòngchǎng.

卡伦: 附近有超市吗?
Kǎlún: Fùjìn yǒu chāoshì ma?

马克: 邮局旁边有一个大超市。
Mǎkè: Yóujú pángbiān yǒu yí ge dà chāoshì.

卡伦: 你想租吗?
Kǎlún: Nǐ xiǎng zū ma?

153

马 克: 我 考 虑 考 虑。
Mǎkè: Wǒ kǎolǜ kǎolǜ.

卡 伦: 对。你 应 该 多 看 看。
Kǎlún: Duì. Nǐ yīnggāi duō kànkan.

注 释 | Notes

1. "是"表示存在 "是" expressing existence

   "是" is used when it is known for sure that there is a certain person or thing in a certain place, and you want to point out who is the person or what is the thing.

Subject (S)	Predicate (P)	
【方位词/处所词语】	是	Object 【事物名词】
东边	是	一个公园。
前边	是	银行。
我前边	是	马克。

2. 动词重叠（2）Reduplication of the verbs (2)

   The reduplicated form for disyllabic verbs is "AB——→ABAB", and "一" CANNOT be inserted in between.

AB	ABAB
考虑	考虑考虑
学习	学习学习
练习	练习练习

3. 方位词 + "边" Location words + "边"

方位词	
前/后/左/右	
上/下	边
东/西/南/北	
旁	

句型操练 | Pattern Drills

1. 小区环境怎么样？

   ……环境怎么样？

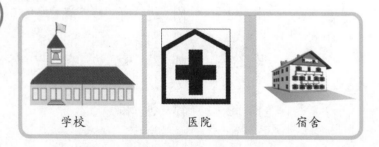

学校　　　医院　　　宿舍

154

2. 小区东边是一个公园。
   ……东边是一个……。

银行　邮局

麦当劳

图书馆

十字路口

宿舍

3. 你应该多看看？
   你应该多……？

想　　试

趁热打铁 **Strike While the Iron Is Hot**

你想租什么样的房子？
(大小、房租、环境)

155

词语扩展 | Vocabulary Extension

家具

书桌、椅子　　　衣柜　　　　床　　　　空调
shūzhuō, yǐzi　　yīguì　　chuáng　　kōngtiáo

听与说 | Listening and Speaking

一 看图回答问题 Look and Answer

1. 这套房子怎么样？

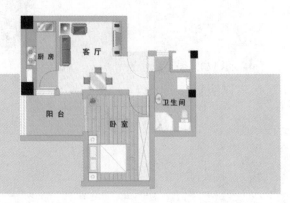

2. 房间里有什么？

156

二 双人练习 Pair Work

	A	B
①	我想租一套三室一厅两卫的房子。 就是 _____。	什么是三室一厅两卫？ 还要有什么？ 这样的房子应该很贵。
	A	B
②	我想租一套两室一厅的房子。	一室一厅的房子不是很好吗？
	我觉得有点儿小。	你要两个卧室干什么？
	一个房间学习，一个房间睡觉。	
	一个月房租3500块。	
	小区环境很好，买东西很方便。	
	对，附近有银行。	
	我很想租。	你应该多看看。

三　根据情景作出回答 Give a Response According to the Situation

1. 你租的房子 / 你住的宿舍怎么样？
2. 你住的地方环境怎么样？
3. 一个月的房租多少钱？

汉字 | Characters

1. 汉字偏旁 Sides of Chinese Characters （14）

| 禾 | hé zì pāng | 和 | 走 | zǒu zì pāng | 起 |

3. 汉字组合 Composition of Chinese Characters （14）

禾字旁 hé zì pāng	禾 + 口 禾 + 且 禾 + 中	和 租 种
走字旁 zǒu zì pāng	走 + 己 走 + 召	起 超

157

读与写 | Reading and Writing

一　把括号中的词填入适当的位置 Put the Words into the Appropriate Place

1. 这本英汉词典 A 很 B 好吗 C？　　　（不是）
2. A 小区东边 B 一个 C 小公园。　　　（是）
3. 昨天 A 我去 B 看 C 一套房子。　　　（了）

二　选择适当的问句或答句 Choose and Complete

1. A:　你想租吗？

B: ＿＿＿＿＿＿＿＿＿＿＿＿＿＿

☐ 我考虑考虑。

☐ 我考虑一考虑。

2. **A:** _____

   B: 我想租一室一厅一卫。

   ☐ 你想租什么样的房子？

   ☐ 你想不想租房子？

三 填写并完成对话 Fill in the Blanks and Complete the Conversations

A：昨天我去看了一套房子。

B：_____？　　　（怎么样）

A：房租有点儿贵。一个月两千五。

B：_____？　　　（怎么样）

A：小区环境还可以。小区东边是一个公园，南边有一个运动场。

B：_____？　　　（附近）

A：邮局旁边有一个大超市。

B：你想租吗？

A：_____。　　　（考虑）

四 朗读短文 Read Aloud

　　我想在学校附近租一套带厨房的房子，我想自己做饭，想学做中国菜。我要租一室一厅一卫，就是一个卧室、一个客厅、一个卫生间。还要有电视、冰箱、洗衣机。

　　Wǒ xiǎng zài xuéxiào fùjìn zū yí tào dài chúfáng de fángzi, wǒ xiǎng zìjǐ zuò fàn, xiǎng xué zuò Zhōngguó cài. Wǒ yào zū yí shì yì tīng yí wèi, jiùshì yí ge wòshì, yí ge kètīng, yí ge wèishēngjiān. Hái yào yǒu diànshì, bīngxiāng, xǐyījī.

五 汉字练习 Chinese Characters

汉字	笔　　顺
和	和 和 和 和 和 和 和 和
种	种 种 种 种 种 种 种 种 种

租 房 子

| 租 | 租 租 租 租 租 租 租 租 租 租 |
| 起 | 起 起 起 起 起 起 起 起 起 起 |

六 语音练习 Pronunciation

中国人民
Zhōngguó rénmín

中国人名
Zhōngguó rén míng

159

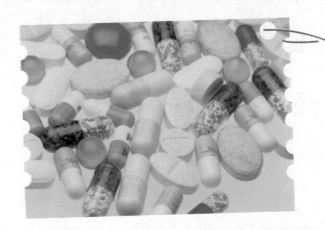

第 **18** 课

你哪儿不舒服

Nǐ nǎr bù shūfu

句子 | Sentences

086	I went swimming yesterday.	昨天我去游泳了。 Zuótiān wǒ qù yóuyǒng le.
087	Did you take your medicine?	你吃药了吗？ Nǐ chī yào le ma?
088	I guess I have a bit of a fever.	可能有点儿发烧。 Kěnéng yǒudiǎnr fāshāo.
089	What's wrong with you?	你哪儿不舒服？ Nǐ nǎr bù shūfu?
090	I'll prescribe some medicine for you.	我给你开点儿药。 Wǒ gěi nǐ kāi diǎnr yào.

第一部分 | Part I

词语 | Words

1.	舒服	shūfu	comfortable	7.	水	shuǐ	water
2.	头	tóu	head	8.	凉	liáng	cold
3.	疼	téng	ache	9.	药	yào	medicine
4.	感冒	gǎnmào	cold	10.	请假	qǐngjià	to ask for leave
5.	可能	kěnéng	may	11.	睡觉	shuìjiào	sleep
6.	游泳	yóuyǒng	swim	12.	休息	xiūxi	rest

160

课文一 | Text 1

惠美： 卡伦，你怎么还不起床？
Huìměi: Kǎlún, nǐ zěnme hái bù qǐchuáng?

卡 伦： 我有点儿不舒服。
Kǎlún: Wǒ yǒudiǎnr bù shūfu.

惠美： 你怎么了？
Huìměi: Nǐ zěnme le?

卡 伦： 我头有点儿疼。
Kǎlún: Wǒ tóu yǒudiǎnr téng.

惠美： 你是不是感冒了？
Huìměi: Nǐ shì bu shì gǎnmào le?

卡 伦： 可能是。昨天我去游泳了，水有点儿凉。
Kǎlún: Kěnéng shì. Zuótiān wǒ qù yóuyǒng le, shuǐ yǒudiǎnr liáng.

惠美： 你吃药了吗？
Huìměi: Nǐ chī yào le ma?

卡 伦： 吃了。
Kǎlún: Chī le.

惠美： 现在要不要去医院？
Huìměi: Xiànzài yào bu yào qù yīyuàn?

卡 伦： 不用。我想睡觉。你替我请个假吧。
Kǎlún: Búyòng. Wǒ xiǎng shuìjiào. Nǐ tì wǒ qǐng ge jiǎ ba.

惠美： 好吧。你休息吧。
Huìměi: Hǎo ba. Nǐ xiūxi ba.

注释 | Notes

1. 语气助词"了" Modal particle "了"

① The modal particle "了" is placed at the end of a sentence to express an affirmative tone and influences its meaning as a whole. By adding "了" to a sentence, the speaker indicates that an action has already taken place or a situation that has already emerged in a period of time, which is usually indicated by a time word.

Subject (S)	Predicate (P)		
	时间状语	V+Object (O)	了
你	昨天	去哪儿	了？
我	昨天	去王府井	了。
马克	昨天	去图书馆	了。

② A temporal adverbial modifier can be placed before the subject.

时间状语	Subject (S)	Predicate (P)	
		V+Object (O)	了
昨天	你	去哪儿	了?
昨天	我	去王府井	了。
昨天	马克	去图书馆	了。

③ The negative form is to add "没有"or "没" before the verb, without using "了" at the end of the sentence.

时间状语	Subject (S)	Predicate (P)
		V+Object (O)
昨天	我	没有去王府井。
昨天	马克	没去图书馆。

④ The affirmative-negative question, is formed as follows:

时间状语	Subject (S)	Predicate (P)	
		V+Object (O)	了+没有
昨天	你	去王府井	了没有?
昨天	马克	去图书馆	了没有?

2. 能愿动词 "应该" Modal verb "应该"

The modal verb "应该" indicates obligation. It is used to show that something is the best thing to do because it is morally right. The negative form is "不应该".

Subject (S)	Predicate (P)	
	应该	V+Object (O)
你	应该	多看看。
我们	应该	努力练习汉字。
我	应该	等他。
你	不应该	去那儿。

句型操练 | Pattern Drills

1. 你是不是感冒了？
   你是不是……了？

睡觉　　喝咖啡

2. 昨天我去游泳了。
   昨天我去……了。

买东西　　换钱　　取包裹

3. 你吃药了吗？
   你……了吗？

吃饭　　还书

趁热打铁　Strike While the Iron Is Hot

你怎么了？
你哪儿不舒服？
你是不是……了？
你吃药了吗？
你要不要去医院？

第二部分 | Part II

163

词 语 | Words

1.	嗓子	sǎngzi	throat		7.	要紧	yàojǐn	serious
2.	发烧（烧）	fāshāo(shāo)	fevor		8.	开药	kāi yào	prescribe
3.	体温表	tǐwēn biǎo	thermometer		9.	西药	xīyào	western medicine
4.	度	dù	degree		10.	中药	zhōngyào	Chinese medicine
5.	病	bìng	illness		11.	药方	yàofāng	prescription
6.	严重	yánzhòng	serious		12.	药房	yàofáng	pharmacy

课文二 | Text 2

(Scene: Karen is seeing the doctor in the hospital.)

大夫: 你哪儿不舒服?
dàifu: Nǐ nǎr bù shūfu?

卡伦: 我头疼、嗓子疼。
Kǎlún: Wǒ tóuténg, sǎngzi téng.

大夫: 发烧吗?
dàifu: Fāshāo ma?

卡伦: 可能有点儿发烧。
Kǎlún: Kěnéng yǒudiǎnr fāshāo.

大夫: 试一试体温表吧。
dàifu: Shì yi shì tǐwēn biǎo ba.

......

38度5,有点儿烧。
Sānshíbā dù wǔ, yǒudiǎnr shāo.

卡伦: 大夫,我的病严重吗?
Kǎlún: Dàifu, wǒ de bìng yánzhòng ma?

大夫: 不要紧。我给你开点儿药。
dàifu: Bú yàojǐn. Wǒ gěi nǐ kāi diǎnr yào.

卡伦: 西药还是中药?
Kǎlún: Xīyào háishi zhōngyào?

大夫: 西药和中药都有。要多喝水。这是药方,
dàifu: Xīyào hé zhōngyào dōu yǒu. Yào duō hē shuǐ. Zhè shì yàofāng,

药房在一层。
yàofáng zài yī céng.

卡伦: 谢谢大夫!
Kǎlún: Xièxie dàifu!

注释 | Notes

1. 离合动词 Clutch verbs

There are some verbs which can be divided into two parts, such as "请假", "睡觉" and "起床". Generally, the verbs are in verb + object structure. Other complements can be put between the two parts of a clutch verb. The reduplicated form for some clutch verbs is AAB (only reduplicate the verb part).

V	其他成分	Object
请	（一）个	假
游	（一）会儿	泳
睡	（一）会儿	觉

VV	Object
游游	泳
睡睡	觉

2. 主谓谓语句 The sentence with a subject-predicate phrase as its predicate

When a subject-predicate phrase functions as the predicate of a sentence and explains or describes the subject, this sentence is called a sentence with a subject-predicate phrase as its predicate.

Subject (S)	Predicate (P)	
	Subject (S')	Predicate (P')
我	头	疼
我	嗓子	疼

句型操练 | Pattern Drills

1. 可能有点儿发烧。
   可能有点儿……。

不舒服

感冒

2. 我给你开点儿药。
   我给你……。

做饭　　打电话

趁热打铁 Strike While the Iron Is Hot

他／她怎么了？
他／她哪儿不舒服？

165

词语扩展 | Vocabulary Extension

病 情

| 骨折 | 牙疼 | 肚子疼 |
| gǔzhé | yáténg | dùziténg |

听与说 | Listening and Speaking

一 看图回答问题 Look and Answer

1. 他 / 她哪儿不舒服？

166

二 双人练习 Pair Work

留学生 A	A 的同屋
你怎么还不起床？	
① 你哪儿不舒服？	我头有点儿疼。
你是不是 _____ 了？	可能是发烧了。
	我吃药了。
	不用去医院，我想睡觉。休息休息就好了。

大 夫	留学生
	我肚子疼。
②	昨天吃了鱼香肉丝和一碗米饭。
	喝了很多咖啡。
可能吃得不太好。	大夫，我的病_____吗？
不要紧，我给你_____。	中药还是西药？
你想吃中药还是西药？	中药吧。
好，给你_____，去二层取药。	谢谢大夫！

三 根据情景作出回答 Give a Response According to the Situation

1. 你常常感冒吗？
2. 你哪儿不舒服？
3. 你感冒了去不去医院？

汉字 | Characters

1. 汉字偏旁 Sides of Chinese Characters（15）

Stroke	Name	Example
冫	liǎng diǎn shuǐ	冰
疒	bìng zì pāng	病

2. 汉字组合 Composition of Chinese Characters（15）

两点水 liǎng diǎn shuǐ	冫 ＋ 水	冰
	冫 ＋ 京	凉
病字旁 bìng zì pāng	疒 ＋ 丙	病
	疒 ＋ 冬	疼

167

读与写 | Reading and Writing

一   把括号中的词填入适当的位置 Put the Words into the Appropriate Place

1. 你怎么 **A** 不 **B** 起 **C** 床？ （还）
2. 你替 **A** 我请 **B** 假 **C** 吧。 （个）
3. 昨天我 **A** 去 **B** 游泳 **C**。 （了）
4. 我昨天 **A** 买 **B** 电话卡 **C**。 （没有）

二   选择适当的问句或答句 Choose and Complete

1. **A:** 昨天你去王府井了没有？
   B: _____
   ☐ 我没去。
   ☐ 我去。

2. **A:** _____
   B: 我有点儿不舒服。
   ☐ 你怎么了？
   ☐ 你好吗？

168

三   填写并完成对话 Fill in the Blanks and Complete the Conversations

A：_____? （不舒服）

B：我头疼、嗓子疼。

A：发烧吗?

B：_____。 （可能）

A：_____。……**38** 度 **5**, 有点儿烧。 （试一试）

B：大夫，我的病严重吗？

A：不要紧。我给你开点儿药。

B：_____? （还是）

A：西药和中药都有。

四 朗读短文 Read Aloud

　　昨天我去游泳了，水有点儿凉。今天我有点儿不舒服。我头有点儿疼，嗓子也很疼。可能感冒了。现在我不想去医院。我吃了药，想睡觉，不想去上课。惠美替我请假。

　　Zuótiān wǒ qù yóuyǒng le, shuǐ yǒudiǎnr liáng. Jīntiān wǒ yǒudiǎnr bù shūfu. Wǒ tóu yǒudiǎnr téng, sǎngzi yě hěn téng. Kěnéng gǎnmào le. Xiànzài wǒ bù xiǎng qù yīyuàn. Wǒ chī le yào, xiǎng shuìjiào, bù xiǎng qù shàngkè. Huìměi tì wǒ qǐngjià.

五 汉字练习 Chinese Characters

汉 字	笔 顺
冰	冰 冰 冰 冰 冰 冰
凉	凉 凉 凉 凉 凉 凉 凉 凉 凉 凉
病	病 病 病 病 病 病 病 病 病 病
疼	疼 疼 疼 疼 疼 疼 疼 疼 疼 疼

169

六 语音练习 Pronunciation

大娘和我们一起过大年。

Dà niáng hé wǒmen yìqǐ guò dà nián.

第 19 课

你想剪什么样的

Nǐ xiǎng jiǎn shénme yàng de

句 子 | Sentences

091	How do you like your haircut?	你想剪什么样的?
		Nǐ xiǎng jiǎn shénme yàng de?
092	What do you think?	你看看怎么样?
		Nǐ kànkan zěnmeyàng?
093	Your hair color is the same as that of Chinese people.	你头发的颜色跟中国人一样。
		Nǐ tóufa de yánsè gēn Zhōngguórén yíyàng.
094	Stop joking.	别开玩笑了。
		Bié kāi wánxiào le.
095	Coloring your hair is very easy, but learning Chinese is not easy.	染发很容易,学汉语不太容易啊!
		Rǎn fà hěn róngyì, xué Hànyǔ bú tài róng yì a!

第一部分 | Part I

词 语 | Words

1.	欢迎	huānyíng	to welcome	8.	前边	qiánbian	front, in front of
2.	光临	guānglín	to come	9.	短	duǎn	short
3.	理发	lǐfà	to get a haircut	10.	后边	hòubian	behind, back
4.	染发	rǎn fà	to dye/color one's hair	11.	再	zài	again
5.	坐	zuò	to sit	12.	洗	xǐ	to wash
6.	剪	jiǎn	to cut with scissors	13.	吹风	chuīfēng	to blow dry
7.	样	yàng	style				

课文一 | Text 1

(Scene: Andrew is going to the barber's to get his hair cut.)

理发师: 欢迎光临! 你想理发还是染发?
lǐfà shī: Huānyíng guānglín! Nǐ xiǎng lǐfà háishi rǎn fà?

安德鲁: 理发。
Āndélǔ: Lǐfà.

理发师: 请坐。你想剪什么样的?
lǐfà shī: Qǐng zuò. Nǐ xiǎng jiǎn shénme yàng de?

安德鲁: 前边剪短一点儿。
Āndélǔ: Qiánbian jiǎn duǎn yìdiǎnr.

理发师: 后边呢?
lǐfà shī: Hòubian ne?

安德鲁: 后边不用剪。
Āndélǔ: Hòubian bú yòng jiǎn.

......

理发师: 你看看怎么样?
lǐfà shī: Nǐ kànkan zěnmeyàng?

安德鲁: 前边再剪短一点儿吧。
Āndélǔ: Qiánbian zài jiǎn duǎn yìdiǎnr ba.

......

理发师: 好了,到这边洗一洗吧。
lǐfà shī: Hǎo le, dào zhè biān xǐ yī xǐ ba.

安德鲁: 好的。
Āndélǔ: Hǎo de.

理发师: 吹风吗?
lǐfà shī: Chuīfēng ma?

安德鲁: 吹吹吧。
Āndélǔ: Chuīchui ba.

注释 | Notes

1. 口语表达中的主语省略 **Omission of the subject in spoken Chinese**

In spoken Chinese, when it is clearly known by both sides of the conversation, the subject is often omitted.
E.g.

1.	A：	你想理发还是染发？
	B：	（我）理发。
2.	A：	（您）到这边洗一洗吧。
	B：	好的。
	A：	（您）吹风吗？
	B：	（我）吹吹吧。

2. 副词"再" **The adverb "再"**

The adverb "再" indicates the repetition or continuity of an action or a state. Generally, the action is not accomplished or has a day-to-day character. "再" is placed before the verb predicate.

Subject (S)	Predicate (P)	
	再	V+(O)
前边	再	剪短一点儿吧。
你	再	看看。
我们	再	等一会儿。

句型操练 | Pattern Drills

1. 你想剪什么样儿的？
   你想……什么样儿的？

2. 你看看怎么样？
   你……怎么样？

做　　买　　租

尝尝　　想想　　试试

趁热打铁 *Strike While the Iron Is Hot*

你想理发还是染发？
你想剪什么样的？
吹风吗？

172

第二部分 | Part II

词 语 | Words

1.	头发	tóufa	hair	7.	整容	zhěngróng	plastic surgery
2.	黄	huáng	yellow	8.	别	bié	do not
3.	跟……一样	gēn…yíyàng	the same as	9.	开玩笑	kāiwánxiào	joke
4.	可是	kěshì	but	10.	汉语	Hànyǔ	Chinese language
5.	眼睛	yǎnjing	eye	11.	水平	shuǐpíng	level
6.	鼻子	bízi	nose	12.	容易	róngyì	easy

课文二 | Text 2

卡伦: 我想去染发。
Kǎlún: Wǒ xiǎng qù rǎn fà.

惠美: 你的头发是黄颜色的，想染什么颜色的?
Huìměi: Nǐ de tóufa shì huáng yánsè de, xiǎng rǎn shénme yánsè de?

卡伦: 我想染黑色的，跟中国人一样。
Kǎlún: Wǒ xiǎng rǎn hēi sè de, gēn Zhōngguórén yíyàng.

惠美: 为什么要跟中国人一样?
Huìměi: Wèishénme yào gēn Zhōngguórén yíyàng?

卡伦: 我喜欢中国，也很喜欢中国人。
Kǎlún: Wǒ xǐhuan Zhōngguó, yě hěn xǐhuan Zhōngguórén.

惠美: 你头发的颜色跟中国人一样，可是眼睛、
Huìměi: Nǐ tóufa de yánsè gēn Zhōngguórén yíyàng, kěshì yǎnjing, bízi
鼻子跟中国人不一样。
gēn Zhōngguórén bù yíyàng.

卡伦: 我是不是还要整容啊?
Kǎlún: Wǒ shì bu shì hái yào zhěngróng a.

惠美: 别开玩笑了。你的汉语水平跟中国人一样
Huìměi: Bié kāiwánxiào le. Nǐ de Hànyǔ shuǐpíng gēn Zhōngguórén yíyàng

173

就行了。

jiù xíng le.

卡伦: 染发很容易，学汉语不太容易啊。

Kǎlún: *Rǎn fà hěn róngyì, xué Hànyǔ bú tài róngyì a.*

注释 | Notes

1. "……跟……一样/不一样" The same...as...

In Chinese, the construction "……跟……一样/不一样" is used to indicate comparison.

A	跟	B	一样/不一样
你头发的颜色	跟	中国人	一样。
你的汉语水平	跟	中国人	一样。
我的词典	跟	你的	一样。
你的眼睛、鼻子	跟	中国人	不一样。

2. "别……了" Don't ...

"别……了" is used to dissuade or prohibit someone.

别	V + (Object)	了
别	开玩笑	了。
别	睡觉	了。
别	剪	了。

174

句型操练 | Pattern Drills

1. 你头发的颜色跟中国人一样。

……A跟B……一样。

眼睛/妈妈　　鼻子/爸爸　　毛衣/张华

2. 别开玩笑了。

别……了。

上网　　　　睡觉　　　　租房子

3. 染发很容易，学汉语不容易。
……很容易，……不容易。

做汉堡

做中国菜

写英文

写汉字

趁热打铁　Strike While the Iron Is Hot

她的头发是什么颜色的？　他的头发是什么颜色的？

词语扩展 | Vocabulary Extension

美 发

烫发
tàngfà

拉直
lāzhí

接发
jiēfà

挑染
tiǎorǎn

175

听说活动 | Listening and Speaking

一　**看图回答问题 Look and Answer**
她的发型有什么变化？

二 双人练习 Pair Work

理发师	留学生
你好。欢迎 _____ !	你好。我想理发。
	后边剪短一点儿吧。
	前边不用剪。
	很好。
到那边洗洗吧。_____ ?	不用吹风。谢谢!
韩国留学生	美发师
你好。我想染发。	你的头发是黑色的, _____ ?
我想染红色的。	我觉得你染黄色应该很好看。
那我染黄色的吧。	都染吗?
不用, _____ 吧。	好的。要不要拉直?
不要,我想 _____ 。	那我们先烫发吧。

①②

三 根据情景作出回答 Give a Response According to the Situation

1. 你的头发是什么颜色的?
2. 你染发了吗?

176

汉字 | Characters

1. 汉字偏旁 Sides of Chinese Characters（16）

又	yòu zì pāng	对		目	mù zì pāng	睛

2. 汉字组合 Composition of Chinese Characters（16）

又字旁 yòu zì pāng	又 + 寸	对
	又 + 欠	欢
	又 + 又	双
	又 + 隹	难
	又 + 鸟	鸡

目字旁 mù zì páng	目 + 青	睛
	目 + 艮	眼
	目 + 垂	睡

读与写 | Reading and Writing

一 把括号中的词填入适当的位置 Put the Words into the Appropriate Place

1. A 请 B 你 C 开玩笑了。　　　　　　　（别）
2. A 前边 B 剪短 C 一点儿。　　　　　　（再）
3. 我的汉语水平 A 中国人 B 不 C 一样。　（跟）

二 选词填空 Fill in the Blank

1. 你 ＿＿＿＿＿＿＿ 染发了。　　　　（不，没，别）
2. 你想剪 ＿＿＿＿＿＿ 的?　　　　　（怎么样，什么样）
3. 你看看，＿＿＿＿＿＿?　　　　　　（怎么样，什么样）

三 填写并完成对话 Fill in the Blanks and Complete the Conversations

A：＿＿＿＿＿＿＿＿＿＿＿＿＿? （还是）

B：理发。

A：＿＿＿＿＿＿＿＿＿＿＿＿＿? （什么样）

B：前边剪短一点儿。

A：＿＿＿＿＿＿＿＿＿＿＿＿＿? （呢）

B：后边不用剪。……

A：＿＿＿＿＿＿＿＿＿＿＿＿＿? （怎么样）

B：还可以。

A：好了，＿＿＿＿＿＿＿＿＿＿! （洗一洗）

B：好。

A：＿＿＿＿＿＿＿＿＿＿＿＿＿? （吗）

B：吹一下儿吧。

四 朗读短文 Read Aloud

　　我朋友卡伦的头发是黄颜色的。她想去染发，想染黑色的，跟中国人一样。她喜欢中国，也很喜欢中国人。可是她的眼睛、鼻子跟中国人不一样啊。她说还要去整容。我想她是在开玩笑。她想头发颜色跟中国人一样，汉语水平也跟中国人一样。

Wǒ péngyou Kǎlún de tóufa shì huáng yánsè de. Tā xiǎng qù rǎn fà, xiǎng rǎn hēi sè de, gēn Zhōngguórén yíyàng. Tā xǐhuan Zhōngguó, yě hěn xǐhuan Zhōngguórén. Kěshì tā de yǎnjing, bízi gēn Zhōngguórén bù yíyàng a. Tā shuō hái yào qù zhěngróng. Wǒ xiǎng tā shì zài kāiwánxiào. Tā xiǎng tóufa yánsè gēn Zhōngguórén yíyàng, Hànyǔ shuǐpíng yě gēn Zhōngguórén yíyàng.

五 汉字练习 Chinese Characters

汉 字	笔 顺
对	对 对 对 对 对
难	难 难 难 难 难 难 难 难
眼	眼 眼 眼 眼 眼 眼 眼 眼 眼 眼 眼
睛	睛 睛 睛 睛 睛 睛 睛 睛 睛 睛 睛 睛

178

六 语音练习 Pronunciation

他在一个专门研究激光的机关工作。

Tā zài yí ge zhuānmén yánjiū jīguāng de jīguān gōngzuò.

第 20 课

你汉语说得很流利

Nǐ Hànyǔ shuō de hěn liúlì

句子 | Sentences

096	You speak Chinese fluently.	你汉语说得很流利。 Nǐ Hànyǔ shuō de hěn liúlì.
097	Miss Wang teaches us spoken Chinese.	王老师教我们口语。 Wáng lǎoshī jiāo wǒmen kǒuyǔ.
098	Why can I speak so poorly like this?	我说得怎么这么差? Wǒ shuō de zěnme zhème chà?
099	I'm afraid not. It's far from good enough.	哪里,还差得远呢。 Nǎ lǐ, hái chà de yuǎn ne.
100	We have learned more and more characters.	我们学的汉字越来越多。 Wǒmen xué de Hànzì yuè lái yuè duō.

179

第一部分 | Part I

词语 | Words

1.	说	shuō	to speak		8.	准	zhǔn	accurate
2.	这么	zhème	so		9.	哪里	nǎ lǐ	a polite reply to a praise
3.	发音	fā yīn	pronunciation		10.	口语	kǒuyǔ	spoken language
4.	声调	shēngdiào	tone		11.	非常	fēicháng	very
5.	得	de	structural particle		12.	差	chà	bad
6.	流利	liúlì	fluent		13.	聊天	liáotiān	to chat
7.	音	yīn	pronunciation		14.	以后	yǐhòu	later

课文一 | Text 1

(Scene: After the spoken Chinese class, Andrew and Karen are talking about studying Chinese.)

安德鲁: 你觉得说汉语难吗?
Āndélǔ: Nǐ juéde shuō Hànyǔ nán ma?

卡伦: 我觉得发音和声调有点儿难。
Kǎlún: Wǒ juéde fā yīn hé shēngdiào yǒudiǎnr nán.

安德鲁: 可是你汉语说得很流利,音也发得很准。
Āndélǔ: Kěshì nǐ Hànyǔ shuō de hěn liúlì, yīn yě fā de hěn zhǔn.

卡伦: 哪里。
Kǎlún: Nǎ lǐ.

安德鲁: 卡伦,你怎么学得这么好?
Āndélǔ: Kǎlún, nǐ zěnme xué de zhème hǎo?

卡伦: 王老师教我们口语,她教得非常好。
Kǎlún: Wáng lǎoshī jiāo wǒmen kǒuyǔ, tā jiāo de fēicháng hǎo.

安德鲁: 我们一起上课,我说得怎么这么差?
Āndélǔ: Wǒmen yìqǐ shàngkè, wǒ shuō de zěnme zhème chà?

卡伦: 你要努力学习,多跟中国人聊天。
Kǎlún: Nǐ yào nǔlì xuéxí, duō gēn Zhōngguórén liáotiān.

安德鲁: 以后我们一起练习口语,怎么样?
Āndélǔ: Yǐhòu wǒmen yìqǐ liànxí kǒuyǔ, zěnmeyàng?

卡伦: 没问题。
Kǎlún: Méi wèntí.

注释 | Notes

1. 状态补语 Complements of manner

① Complements of manner are complements following the predicate (a verb or an adjective) connected by "得". Generally, the complements of state are adjectives, which describe, appraise or evaluate the state, result, and degree of the action. The action or the states complements describe or appraise are common in daily life, have already existed, or are in progress.

Subject (S)	Predicate (P)		
	V	得	Adj.
他	说	得	很好。
我	学	得	很好。

② When the verb has an object:

Subject (S)	Predicate (P)			
	(V)+O	V	得	Adj.
他	（说）汉语	说	得	很好。
我	（学）英语	学	得	很好。

Note: When the verb has an object, the first verb in this structure is often omitted.

③ The negative form is:

Subject (S)	Predicate (P)		
	V	得	Adj.
他	说	得	不好。
我	学	得	不太好。

Subject (S)	Predicate (P)			
	(V) + O	V	得	Adj.
他	（说）汉语	说	得	不好。
我	（学）英语	学	得	不太好。

④ The affirmative-negative question form is:

Subject (S)	Predicate (P)		
	V	得	Adj. 不 Adj.
他	说	得	好不好？
你	学	得	好不好？

2. "哪里！" I'm afraid not.

It is a polite expression in response to a praise. E.g.

（1） A：你汉语说得真好。

B：哪里。

（2） A：你汉语说得太流利了。

B：哪里，哪里。

3. 这么、那么 "这么" and "那么"

① The pronouns "这么" and "那么" refer to the adverbial modifiers. Sometimes, they express the manner of an action.

（1） 这个音应该这么发，那么发不对。

（2） 汉语应该这么学。

（3） 筷子应该这么用。

② In this lesson, they are used to indicate the high degree an action reaches. They are usually used together with "怎么" to ask about the reason for the high degree. In the sentence with an adjective predicate:

Subject (S)	Predicate (P)	
	怎么这么	Adj.
汉语	怎么这么	难?
他的口语	怎么这么	好?
这件毛衣	怎么那么	贵?

③ In the sentence with a complement of state:

Subject (S)	Predicate (P)			
	V	得	怎么 + 这么 / 那么	Adj.
我	说	得	怎么这么	差?
你	学	得	怎么那么	好?

Or:

Subject (S)	Predicate (P)			
	怎么 V	得	这么 / 那么	Adj.
我	怎么说	得	这么	差?
你	怎么学	得	那么	好?

句型操练 | Pattern Drills

1. 她汉语说得很流利。
   她……得很……。

2. 王老师教我们口语。
   A 教 B……。

3. 我说得怎么这么差?
   ……怎么这么……?

音 / 发 / 准 　　头发 / 理 / 短 　　头发 / 染 / 漂亮

马克 / 中国学生 　　张华 / 卡伦 　　惠美 / 卡伦

马克 / 说 / 流利 　　王老师 / 教 / 好 　　惠美的汉字 / 写 / 漂亮

趁热打铁 Strike While the Iron Is Hot

1. 你觉得说汉语难吗?
3. ……。
5. 你怎么学得这么好?
7. 以后我们一起练习口语,怎么样?

2. ……。
4. 哪里。
6. ……。
8. 好吧。

第二部分 | Part II

词语 | Words

1.	好久	hǎo jiǔ	a long time	7.	阅读	yuèdú	reading
2.	最近	zuìjìn	recently	8.	节	jié	period of instruction
3.	忙	máng	busy	9.	累	lèi	tired
4.	死	sǐ	to death	10.	特别	tèbié	especially
5.	综合	zōnghé	comprehensive	11.	越来越	yuè lái yuè	more and more
6.	听力	tīng lì	listening				

183

课文二 | Text 2

(Scene: Zhang Hua runs into Mark in the dining hall.)

张 华: 马克, 好久不见, 你最近忙吗?
Zhāng Huá: Mǎkè, hǎo jiǔ bú jiàn, nǐ zuìjìn máng ma?

马 克: 忙死了。我们的课太多。
Mǎkè: Máng sǐ le. Wǒmen de kè tài duō.

张 华: 你们都有什么课?
Zhāng Huá: Nǐmen dōu yǒu shénme kè?

马 克: 综合课、听力课、阅读课,对了,还有口语课。
Mǎkè: Zōnghé kè, tīnglì kè, yuèdú kè, duì le, hái yǒu kǒuyǔ kè.

张 华： 你们一星期有多少节课?

Zhāng Huá: Nǐmen yì xīngqī yǒu duōshao jié kè?

马 克： 20 节。每天都有。累死了。

Mǎkè: Èrshí jié. Měitiān dōu yǒu. Lèi sǐ le.

张 华： 你觉得学汉语难吗?

Zhāng Huá: Nǐ juéde xué hànyǔ nán ma?

马 克： 有点儿难,特别是汉字。你看,这是我写的
汉字。

Mǎkè: Yǒudiǎnr nán, tèbié shì Hànzì. Nǐ kàn, zhè shì wǒ xiě de Hànzì.

张 华： 你写得不错。

Zhāng Huá: Nǐ xiě de búcuò.

马 克： 哪里,还差得远呢。我们学的汉字越来越多,

Mǎkè: Nǎlǐ, hái chà de yuǎn ne. Wǒmen xué de Hànzì yuè lái yuè duō,

我常常忘。

wǒ chángcháng wàng.

张 华： 你应该多写多练。

Zhāng Huá: Nǐ yīnggāi duō xiě duō liàn.

注 释 | Notes

184

1. "死" 作结果补语 "死" as a complement of result

"死" is used after an adjective to indicate a highest degree. It indicates excessiveness and is usually used with "了" at the end of a sentence.

Subject (S)	Predicate (P) Adj.+死了
我	忙死了。
我	累死了。
那种词典	贵死了。

2. "越来越" more and more

It expresses change in the degree of things with the progression of time and is often followed by an adjective or a verb.

Subject (S)	Predicate (P) 越来越+ Adj.
我	越来越忙。
我们学的汉字	越来越多。
我们学的汉字	越来越难。

Subject (S)	Predicate (P)		
	V	得	越来越+ Adj.
我	说	得	越来越流利了。
你	学	得	越来越好。

Subject (S)	Predicate (P)
	越来越V+O
我	越来越喜欢学汉语。
他	越来越喜欢吃中国菜。

句型操练 | Pattern Drills

我们学的汉字越来越多。

……越来越+adj。

汉字/漂亮　　　看的中文书/多　　　课文/长

趁热打铁　Strike While the Iron Is Hot

你都有什么课？谁教你？

教师	课	句子
王老师	口语课	王老师教我们口语课。

185

词语扩展 | Vocabulary Extension

课 型

写作课　　　　　文化课　　　　　商务课

xiězuò kè　　　wénhuà kè　　　shāngwù kè

听与说 | Listening and Speaking

一 看图回答问题 Look and Answer

他们在上什么课？

Subject (S)	Predicate (P)		
	想	V	Object(O)
你	想	买	什么？
我	想	买	苹果。
我	想	买	田字格本。
我	想	去	机场。

二 双人练习 Pair Work

186

	A	B
①		我觉得汉语有点儿难。
	声调难吗？	
	可是你汉语说得很流利，音也_____。	
		因为我每天努力学习。
	以后我们一起练习口语，怎么样？	

	A	B
②	好久不见！_____？	我最近忙死了。我们的课太多了。
		综合、听力、阅读和口语。
		24 节，每天学习累死了。
		我觉得学汉语很难。特别是汉字。
	你汉字写得不错。	哪里，_____。

三 根据情景作出回答 Give a Response According to the Situation

1. 你觉得说汉语难吗？哪个声调难？
2. 你一星期有多少节课？都有什么课？
3. 你最近学习忙吗？累不累？

汉字 | Characters

1. 汉字偏旁 Sides of Chinese Characters （17）

巾　jīn zì dǐ　带　　耳　ěr zì pāng　取

2. 汉字组合 Composition of Chinese Characters （17）

巾字底 jīn zì dǐ	卅 + 巾	带
	尚 + 巾	常
	邦 + 巾	帮
耳字旁 ěr zì pāng	耳 + 卯	聊
	耳 + 又	取

读与写 | Reading and Writing

一 把括号中的词填入适当的位置 Put the Words into the Appropriate Place

1. 马克 A 汉语 B 说得 C 流利了。　　（越来越）
2. 我们的课 A 太多 B，累 C 了。　　（死）
3. 你 A 汉语 B 说 C 怎么样?　　（得）
4. 我音 A 发得 B 太 C 准。　　（不）

二 选词填空 Fill in the Blank

1. 我们学 ＿＿＿＿＿＿ 汉字越来越难。　　（的，得）
2. 我 ＿＿＿＿＿＿ 学得 ＿＿＿＿＿＿ 差?　　（怎么，这么，那么）
2. 王老师教汉语教 ＿＿＿＿＿＿ 好不好? （的，得）

三 选择适当的问句或答句 Choose and Complete

1. **A:**　你的发音真好。

 B:　＿＿＿＿＿＿＿＿＿＿＿＿＿＿＿

 ☐ 在哪儿?

 ☐ 哪里，哪里。

2. **A:**　＿＿＿＿＿＿＿＿＿＿＿＿＿＿＿

 B:　她学得不错。

 ☐ 卡伦汉语学得怎么样?

 ☐ 卡伦怎么样?

187

四　填写并完成对话 **Fill in the Blanks and Complete the Conversations**

> A：＿＿＿＿＿＿＿＿＿＿＿＿＿，你忙吗？（好久）
>
> B：忙死了。
>
> A：＿＿＿＿＿＿＿＿＿＿＿＿？（怎么）
>
> B：我们的课太多了。
>
> A：＿＿＿＿＿＿＿＿＿＿＿＿？（什么）
>
> B：综合课、听力课、阅读课，还有口语课。
>
> A：＿＿＿＿＿＿＿＿＿＿＿＿？（多少）
>
> B：24 节。每天都有。

五　朗读短文 **Read Aloud**

卡伦汉语说得很流利，音也发得很准。我跟她一起上课，我们的老师也一样，都是王老师。可是，我怎么说得这么差？以后我要努力学习，多跟中国人聊天。还要跟卡伦一起练习口语。

Kǎlún Hànyǔ shuō de hěn liúlì, yīn yě fā de hěn zhǔn. wǒ gēn tā yìqǐ shàngkè, wǒmen de lǎoshī yě yíyàng, dōu shì Wáng lǎoshī. Kěshì, wǒ zěnme shuō de zhème chà? Yǐhòu wǒ yào nǔlì xuéxí, duō gēn Zhōngguórén liáotiān. Hái yào gēn Kǎlún yìqǐ liànxí kǒuyǔ.

188

六　汉字练习 **Chinese Characters**

汉 字	笔　顺
带	带 带 带 带 带 带 带 带 带
常	常 常 常 常 常 常 常 常 常 常 常
聊	聊 聊 聊 聊 聊 聊 聊 聊 聊 聊
取	取 取 取 取 取 取 取 取

七　语音练习 **Pronunciation**

请把这只米老鼠空运到迪斯尼乐园。

Qǐng bǎ zhè zhī Mǐlǎoshǔ kōngyùn dào Dísīní Lèyuán.

你看见我的词典

Nǐ kànjiàn wǒ de cídiǎn

了没有

le méiyǒu

句子 | Sentences

101	Have you seen my dictionary?	你看见我的词典了没有？ Nǐ kànjiàn wǒ de cídiǎn le méiyǒu?
102	Did I pronounce it correctly?	我念对了吗？ Wǒ niàn duì le ma?
103	How do you know this word?	你怎么知道这个词？ Nǐ zěnme zhīdào zhège cí?
104	Which lesson are you going to study?	你们学到第几课了？ Nǐmen xué dào dì jǐ kè le?
105	Have you previewed the new words from Lesson 22?	第 22 课的生词你预习好了没有？ Dì 'èrshíèr kè de shēngcí nǐ yùxí hǎo le méiyǒu?

189

第一部分 | Part I

词语 | Words

1.	词典	cídiǎn	dictionary	8.	矿泉水	kuàngquánshuǐ	mineral water
2.	查	chá	to look up	9.	意思	yìsi	meaning
3.	词	cí	word	10.	刚	gāng	just
4.	里	lǐ	inside	11.	完	wán	to finish
5.	生词	shēngcí	new word	12.	念	niàn	to pronounce
6.	表	biǎo	list	13.	服务员	fúwùyuán	waiter, waitress
7.	哦	ò	Ah				

课文一 | Text 1

(Scene: In the evening, Huimei and Karen are studying in the dormitory.)

惠 美: 卡伦，你看见我的词典了没有？
Huìměi: Kǎlún, nǐ kànjiàn wǒ de cídiǎn le méiyǒu?

卡 伦: 没有。你找词典干什么？
Kǎlún: Méiyǒu. Nǐ zhǎo cídiǎn gàn shénme?

惠 美: 我查一个词。
Huìměi: Wǒ chá yí ge cí.

卡 伦: 什么词？
Kǎlún: Shénme cí?

惠 美: 练习里的一个生词，生词表里没有。
Huìměi: Liànxí lǐ de yí ge shēngcí, shēngcí biǎo lǐ méiyǒu.

卡 伦: 我看看。哦，这是"矿泉水"。
Kǎlún: Wǒ kànkan. Ò, zhè shì "kuàngquánshuǐ"

惠 美: 什么意思？
Huìměi: Shénme yìsi?

卡 伦: 就是这个，我刚喝完一瓶。
Kǎlún: Jiùshì zhège, wǒ gāng hē wán yì píng.

惠 美: 矿－泉－水，我念对了吗？
Huìměi: Kuàng - quán - shuǐ, wǒ niàn duì le ma?

卡 伦: 念对了。
Kǎlún: Niàn duì le.

惠 美: 你怎么知道这个词？
Huìměi: Nǐ zěnme zhīdào zhège cí?

卡 伦: 昨天我买了一瓶矿泉水，顺便问了服务员。
Kǎlún: Zuótiān wǒ mǎi le yì píng kuàngquánshuǐ, shùnbiàn wèn le fúwùyuán.

注释 | Notes

1. 表示方位的词"里" Noun of locality "里"

   "里" is a noun of locality which follows a noun to form a phrase of locality.

190

名词 Noun	里
练习	里
词典	里
生词表	里
房子	里

2. 结果补语 Complements of result

① Complements of result are verbs or adjectives, which indicate the result of an action or a change. In this lesson, "见", "完", and "对" can be put after a verb functioning as complements of result to indicate the result of the actions.

Subject (S)	Predicate (P)	
	V + 结果补语	Object (O)
我	看见	你的词典了。
我	喝完	水了。
我们	学完	这本书了。
我	做对	这道题了。

② The negative form is as follows and "了" is not used at the end of the negative sentence.

Subject (S)	Predicate (P)	
	没 + V + 结果补语	Object (O)
我	没看见	你的词典。
我	没喝完	水。
我们	没学完	这本书。
我	没做对	这道题。

③ The affirmative-negative question form:

Subject (S)	Predicate (P)	
	V + 结果补语	O + 了没有?
你	看见	我的词典了没有?
你	喝完	水了没有?
你们	学完	这本书了没有?
你	做对	这道题了没有?

句型操练 | Pattern Drills

1. 你看见我的词典了没有?
   你看见我的……了没有?

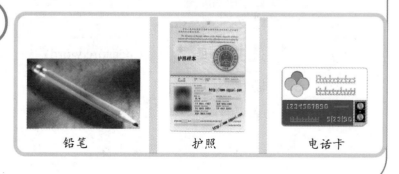

铅笔　　　　　护照　　　　　电话卡

191

吃完　写对　做完

2. 他念对了吗？
　她……吗？

3. 你怎么知道这个词？
　你怎么知道……？

这个汉字　安德鲁的妈妈要来　他是上海人

趁热打铁 Strike While the Iron Is Hot

你会查词典吗？
"没门儿"是什么意思？用词典查查看吧。

第二部分 | Part II

词语 | Words

1.	作业	zuòyè	homework		6.	错	cuò	wrong
2.	检查	jiǎnchá	to check		7.	真	zhēn	really
3.	哎呀	āiya	Ah		8.	预习	yùxí	to preview
4.	道	dào	(measure word)		9.	听写	tīngxiě	to do dictation
5.	题	tí	question					

课文二 | Text 2

(Scene: Mark and Zhang Hua are in the study room of the library.)

马克： 张华，我做完作业了，咱们休息休息吧。
Mǎkè： Zhāng Huá, wǒ zuò wán zuòyè le, zánmen xiūxi xiūxi ba.

张华： 等等，你再检查检查，看看都做对了没有？
Zhāng Huá： Děngdeng, nǐ zài jiǎnchá jiǎnchá, kànkan dōu zuò duì le méiyǒu?

马克： 没关系，明天老师会检查的。
Mǎkè： Méiguānxi, míngtiān lǎoshī huì jiǎnchá de.

张华： 我来看看。……哎呀，10 道题你做错了 3 道。
Zhāng Huá： Wǒ lái kànkan. ……āiya, shí dào tí nǐ zuò cuò le sān dào.

马克： 真的吗？
Mǎkè： Zhēn de ma?

张华： 你再看看。
Zhāng Huá： Nǐ zài kànkan.

马克： 好吧。
Mǎkè： Hǎo ba.

张华： 你们学到第几课了？
Zhāng Huá： Nǐmen xué dào dì jǐ kè le?

马克： 我们学到第 21 课了。
Mǎkè： Wǒmen xué dào dì èrshíyī kè le.

张华： 第 22 课的生词你预习好了没有？
Zhāng Huá： Dì `èrshíèr kè de shēngcí nǐ yùxí hǎo le méiyǒu?

马克： 预习了，但没预习好。
Mǎkè： Yùxí le, dàn méi yùxí hǎo.

张华： 老师不是每天都要听写生词吗？
Zhāng Huá： Lǎoshī bú shì měitiān dōu yào tīngxiě shēngcí ma?

马克： 是啊。
Mǎkè： Shì a.

张华： 你应该预习好以后再休息。
Zhāng Huá： Nǐ yīnggāi yùxí hǎo yǐhòu zài xiūxi.

注释 | Notes

1. "错" 作结果补语　"错" as a complement of result

193

Subject (S)	Predicate (P)	
	V+ 结果补语	Object (O)
我	做错了	三道题。
我	写错了	几个汉字。

2. "好"作结果补语 "好" as a complement of result

When it's used as a complement of result, the adjective "好" indicates the accomplishment of an action or that an act has been finished to a satisfying degree.

Subject (S)	Predicate (P)	
	V+ 结果补语	Object (O)
我	做好	饭了。
我	没预习好	生词。

3. 动词"到"作结果补语 "到" as a complement of result

When it is used as a complement of result, the verb "到" indicates that something has been taken to a certain place through the action. The object is a word denoting place.

Subject (S)	Predicate (P)	
	V+ 结果补语	Object (O)
我	学到	第 21 课了。
我们	没学到	第 21 课。

句型操练 | Pattern Drills

1. 你们学到第几课了？
   你们……第几……了？

走／十字路口　　来／窗口

2. 第 22 课的生词你预习好了没有？
   ……你……好了没有？

做饭　　做作业　　带钱

194

趁热打铁 *Strike While the Iron Is Hot*

他都做对了吗？　　　　他呢？　　　　　她写完了没有？

词语扩展 | Vocabulary Extension

册

第一册　　　　　第二册　　　　　第三册　　　　　第四册
dìyī cè　　　　　dì'èr cè　　　　　dìsān cè　　　　　dìsì cè

页

第二页　　　　　第四页
dì'èr yè　　　　　dìsì yè

听与说 | Listening and Speaking

一　**看图回答问题** Look and Answer

他们学到哪儿了？　（第几册、第几页、第几课）

195

二 双人练习 Pair Work

A	B
	我没看见你的词典。_____？
我查一个字，看看写对了没有。	
① 就是这个字——"累"。	我看看。哦，你_____。
应该怎么写？	应该这样写。
_____？（怎么）	这是第20课的生词，你应该好好复习。

A	B
	我做完作业了，正在检查呢。
	没都做对。做错了两道题。
② 你学到第几课了？	
	明天的生词我还没预习呢。先休息休息吧。
你应该_____。	好吧。我现在就预习生词。

三 根据情景作出回答 Give a Response According to the Situation

1. 昨天的作业你做完了没有？都做对了吗？
2. 你学到第几课了？
3. 今天的生词你预习完了吗？预习好了没有？

汉字 | Characters

1. 汉字偏旁 Sides of Chinese Characters（18）

月	yuè zì pāng	朋		立	lì zì tóu	音

2. 汉字组合 Composition Chinese Characters（18）

月字旁 yuè zì pāng	月 ＋ 月	朋
	月 ＋ 艮	服
立字头 lì zì tóu	立 ＋ 日	音
	立 ＋ 忩	意

196

读与写 | Reading and Writing

一 把括号中的词填入适当的位置 Put the Words into the Appropriate Place

1. 你 A 吃完饭 B 了 C？ （没有）
2. 生词表 A 没有 B 这个词 C。 （里）
3. 我 A 还没预习 B 生词 C。 （好）

二 选词填空 Fill in the Blank

1. 我们学 ＿＿＿＿＿ 第二十一课了。 （到，见，好）
2. 你们学 ＿＿＿＿＿ 这本书了吗？ （到，见，完）
3. 我还 ＿＿＿＿＿ 做完作业。 （没有，不）

三 填写并完成对话 Fill in the Blanks and Complete the Conversations

A：＿＿＿＿＿＿＿＿＿＿＿？ （看见）
B：没有。＿＿＿＿＿＿＿＿＿？ （干什么）
A：我查一个词。
B：＿＿＿＿＿＿＿＿＿＿＿？ （什么）
A：你看，这个词，练习里的生词，生词表里没有。
B：我看看。哦，这是"矿泉水"。
A：＿＿＿＿＿＿＿＿＿＿＿？ （什么）
B：就是这个，我刚喝完一瓶。
A：＿＿＿＿＿＿＿＿＿＿＿？ （怎么）
B：昨天我买了一瓶矿泉水，顺便问了服务员。

四 朗读短文 Read Aloud

　　我做完作业了，可是不能休息。我要再检查检查，看看都做对了没有。哎呀，一共10道题做错了3道。现在我们学完第21课了，我还得预习第22课的生词。老师每天都要听写生词。我应该好好儿预习，预习完以后再休息。

　　Wǒ zuò wán zuòyè le, kěshì bù néng xiūxi. Wǒ yào zài jiǎnchá jiǎnchá, kànkan dōu zuò duì le méiyǒu. Āiya, yígòng shí dào tí zuò cuò le sān dào. Xiànzài wǒmen xué wán dì èrshíyī kè le, wǒ hái děi yùxí dì 'èrshíèr kè de shēngcí. Lǎoshī měitiān dōu yào tīngxiě shēngcí. Wǒ yīnggāi hǎohāor yùxí, yùxí wán yǐhòu zài xiūxi.

197

五 汉字练习 Chinese Characters

汉 字	笔 顺
朋	朋 朋 朋 朋 朋 朋 朋 朋
服	服 服 服 服 服 服 服 服
音	音 音 音 音 音 音 音 音 音
意	意 意 意 意 意 意 意 意 意 意 意 意

六 语音练习 Pronunciation

这是一只大花活河蛤蟆。

Zhè shì yì zhī dà huā huó hé háma.

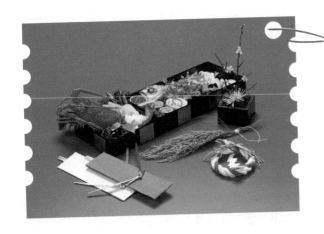

你学日语学了
Nǐ xué rì yǔ xué le
多长时间了
duō cháng shí jiān le

句 子 | Sentences

106	How long have you been studying Japanese?	你学日语学了多长时间了? Nǐ xué rì yǔ xué le duō cháng shíjiān le?
107	I've been studying for a little more than three months.	我学了三个多月了。 Wǒ xué le sān ge duō yuè le.
108	Can you tell me about your methods to study it?	能告诉我你的学习方法吗? Néng gàosu wǒ nǐ de xuéxí fāngfǎ ma?
109	It usually takes me just a little more than twenty minutes to get to school from my home.	从我家到学校平时只用二十 Cóng wǒ jiā dào xuéxiào píngshí zhǐ 多分钟就能到。 yòng èrshí duō fēnzhōng jiù néng dào.
110	Let's start tutoring after a while	我们一会儿再开始辅导吧。 Wǒmen yíhuìr zài kāishǐ fǔdǎo ba.

199

第一部分 | Part I

词 语 | Words

1.	日语	rì yǔ	Japanese language	8.	每	měi	every
2.	长	cháng	long	9.	课文	kèwén	text
3.	时间	shíjiān	time	10.	听	tīng	to listen
4.	以为	yǐwéi	to conceive	11.	录音	lùyīn	record
5.	过奖	guòjiǎng	to overpraise	12.	介绍	jièshào	to introduce
6.	告诉	gàosu	to tell	13.	辅导	fǔdǎo	to tutor, tutorial
7.	方法	fāngfǎ	way				

课文一 | Text 1

(Scene: It's the first time that Huimei meets Li Ming. After greeting each other ...)

惠美：　李明，你学日语学了多长时间了？
Huìměi:　Lǐ Míng, nǐ xué rì yǔ xué le duō cháng shíjiān le?

李明：　我学了三个多月了。
Lǐ Míng:　Wǒ xué le sān ge duō yuè le.

惠美：　是吗？我以为你学了一年多了。
Huìměi:　Shì ma? Wǒ yǐwéi nǐ xué le yì nián duō le.

李明：　为什么？
Lǐ Míng:　Wèishénme?

惠美：　你日语说得很流利！
Huìměi:　Nǐ rì yǔ shuō de hěn liúlì!

李明：　哪里，你过奖了。
Lǐ Míng:　Nǎlǐ, nǐ guòjiǎng le.

惠美：　你日语学得这么好，能告诉我你的学习方
　　　　法吗？
Huìměi:　Nǐ rì yǔ xué de zhème hǎo, néng gàosu wǒ nǐ de xuéxí fāngfǎ ma?

李明：　我每天念十几分钟的课文，听半个小时
Lǐ Míng:　Wǒ měitiān niàn shí jǐ fēnzhōng de kèwén, tīng bàn ge xiǎoshí
　　　　的课文录音，做一个多小时的作业。
　　　　de kèwén lùyīn, zuò yí ge duō xiǎoshí de zuòyè.

惠美：　还做别的吗？
Huìměi:　Hái zuò bié de ma?

李明：　还跟一个日本朋友聊半小时天。
Lǐ Míng:　Hái gēn yí ge Rìběn péngyou liáo bàn xiǎoshí tiān.

惠美：　我也要用你的方法学习汉语。你能给我
Huìměi:　Wǒ yě yào yòng nǐ de fāngfǎ xuéxí Hànyǔ. Nǐ néng gěi wǒ
　　　　介绍一个辅导吗？
　　　　jièshào yí ge fǔdǎo ma?

李明：　我来给你辅导吧。
Lǐ Míng:　Wǒ lái gěi nǐ fǔdǎo ba.

注 释 | Notes

时量补语 Complements of duration

Complements of duration indicate the duration of an action or a state. The interrogative form is "多长时间".

① If the verb doesn't take an object:

Subject (S)	Predicate (P)	
	V	时量补语
我	学了	两个多月了。
我们	等了	十几分钟。
我们	用了	一年多了。

② If the verb takes an object (including a clutch word):

Subject (S)	Predicate (P)		
	V+Object (O)	+V	时量补语
我	学汉语	学了	两个多月了。
我	游泳	游了	十几分钟。

If the object is not a personal pronoun, you can also say:

Subject (S)	Predicate (P)			
	V	时量补语	(的)	Object (O)
我	学了	两个多月	(的)	汉语。
我	游了	一个多小时	(的)	泳。

③ If the object is a personal pronoun:

Subject (S)	Predicate (P)	
	V+Object (O) (人称代词)	时量补语
我	等你	半个多小时了。
我	等他	几分钟。

Note："的" can be omitted.

句型操练 | Pattern Drills

1. 你学日语学了多长时间了?
你学……学了多长时间了?

2. 我学了两个多月了。
我学了……了。

两个多星期　　两年多

3. 能告诉我你的学习方法吗?
能告诉我你的……吗?

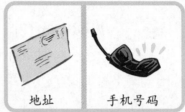

地址　　手机号码

趁热打铁 Strike While the Iron Is Hot

1. 你学……学了多长时间了?
3. 是吗? 我以为你学了……了。
5. 你……说得真流利!
7. 能告诉我你的学习方法吗?

2. 学了……了。
4. 为什么?
6. 哪里,你过奖了。
8. ……

202

第二部分 | Part II

词语 | Words

1.	晚	wǎn	late	**8.**	一会儿	yíhuìr	moment
2.	路上	lù shang	on the road	**9.**	开始	kāishǐ	to start
3.	堵车	dǔchē	traffic jam	**10.**	语法	yǔfǎ	grammar
4.	平时	píngshí	usually	**11.**	懂	dǒng	to understand
5.	只	zhǐ	only	**12.**	讲	jiǎng	to say
6.	才	cái	just	**13.**	要求	yāoqiú	to require
7.	先	xiān	first				

课文二 | Text 2

(Scene: Li Ming comes to help Huimei to improve her Chinese.)

李 明: 对不起。我来晚了。
Lǐ Míng: Duìbuqǐ. Wǒ lái wǎn le.

惠 美: 没关系。
Huìměi: Méiguānxi.

李 明: 你等我多长时间了?
Lǐ Míng: Nǐ děng wǒ duō cháng shíjiān le?

惠 美: 我等了你十几分钟了。
Huìměi: Wǒ děng le nǐ shí jǐ fēnzhōng le.

李 明: 路上堵车。从我家到学校平时只用二十多
Lǐ Míng: Lù shàng dǔchē. Cóng wǒ jiā dào xuéxiào píngshí zhǐ yòng èrshí
分钟就能到,今天用了一个多小时才到。
duō fēnzhōng jiù néng dào, jīntiān yòng le yí ge duō xiǎoshí cái dào.

惠 美: 你先休息几分钟。我们一会儿再开始辅导吧。
Huìměi: Nǐ xiān xiūxi jǐ fēnzhōng. Wǒmen yíhuìr zài kāishǐ fǔdǎo ba.

李 明: 现在就开始吧。
Lǐ Míng: Xiànzài jiù kāishǐ ba.

惠 美: 我的作业里有很多语法问题,我不懂。请
Huìměi: Wǒ de zuòyè lǐ yǒu hěn duō yǔfǎ wèntí, wǒ bù dǒng. Qǐng
给我讲讲。
gěi wǒ jiǎngjiang.

李 明: 好。还有什么要求?
Lǐ Míng: Hǎo. Hái yǒu shénme yāoqiú?

惠 美: 我们还要聊一会儿天。
Huìměi: Wǒmen hái yào liáo yíhuìr tiān.

李 明: 要用汉语聊!
Lǐ Míng: Yào yòng Hànyǔ liáo!

惠 美: 当然。
Huìměi: Dāngrán.

注释 | Notes

1. "从……到……" from……to…
   "从+starting point of place or time + 到 + finishing point of place or time" may be used to indicate distance

tance or time duration.

Subject (S)		Predicate (P)
从＋开始地点	到＋结束地点	
从我家	到学校	用二十多分钟能到。
从北京	到上海	坐飞机要一个多小时。

2. "就" 和 "才" "就" and "才"

The adverbs "就" and "才" are used before verbs to function as adverbial modifiers.

"就" is used to suggest earliness, quickness and easiness of an action, or that something is going on smoothly.

"才" is used to indicate lateness, slowness or difficulties of an action, or that something is going on unsmoothly.

就		才	
例句	句子的意思	例句	句子的意思
我早就来了。	我来得早。	他很晚才来。	他来得晚。
她九点就睡觉了。	她睡得早。	他十二点才睡觉。	他睡得晚。
平时只用二十多分钟就能到。	平时很顺利。	今天用了一个多小时才到。	今天不顺利。

Note: The adverb "就" is often used with "了" at the end of the sentence, while "才" is not used with "了".

204

句型操练 | Pattern Drills

1. 从我家到学校只用二十多分钟就能到。
   从我家到……只用……就能到。

邮局　　银行　　超市

2. 从我家到学校一个多小时才能到。
   从我家到……才能到。

天安门　　长城　　王府井

3. 我们一会儿再开始辅导吧。
   我们一会儿再开始……吧。

复习　　念课文　　做作业

趁热打铁 Strike While the Iron Is Hot

A：从学校到邮局多长时间能到？

B：从学校到邮局只用十分钟就能到。

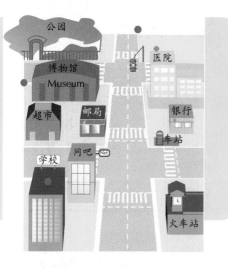

词语扩展 | Vocabulary Extension

外 语

西班牙语　　　　　俄语　　　　　　德语　　　　　　法语

xībānyáyǔ　　　　éyǔ　　　　　　déyǔ　　　　　　fǎyǔ

听与说 | Listening and Speaking

一　看图回答问题 Look and Answer

他学过哪些外语？你呢？你说得怎么样？

Unité **4**

二 双人练习 Pair Work

A	B
	学西班牙语学了三个多月了。
① 是吗？我以为你学了一年多了。	
你西班牙语说得真流利！	
	我每天学六个小时西班牙语。
	还跟一个西班语人聊一个小时天。

A	B
对不起，我来晚了。	
	我等了你半个多小时。
② 路上堵车。从我家到学校平时只用二十多分钟	你先休息几分钟吧。
_____，今天用了一个多小时 _____。	
没问题，现在就开始辅导吧。你有什么要求？	我的发音和语法不好。
那么我们先来看看你的语法问题。一会儿……	用汉语聊天？

三 根据情景作出回答 Give a Response According to the Situation

1. 从你住的地方到学校要走多长时间？
2. 从你住的地方到机场要多长时间？
3. 从你们学校到地铁站要走多长时间？

汉字 | Characters

1. 汉字偏旁 Sides of Chinese Characters（19）

车	chē zì pāng	辅	忄	shù xīn pāng	情

2. 汉字组合 Composition of Chinese Characters（19）

车字旁 chē zì pāng	车 + 甫	辅
	车 + 俞	输

竖心旁 shù xīn páng	忄 + 亡	忙
	忄 + 夬	快
	忄 + 董	懂

读与写 | Reading and Writing

一 把括号中的词填入适当的位置 Put the Words into the Appropriate Place

1. 她学 **A** 了一 **B** 年 **C** 汉语了。 （多）

2. 我 **A** 等 **B** 几分钟 **C**。 （你）

3. 昨天我游 **A** 半个小时 **B** 泳 **C**。 （了）

二 选词填空 Fill in the Blank

1. 我做一个 _____ 小时作业了。 （几 多）

2. 我每天七点半到学校，今天我八点 _____ 到。 （就 才）

3. _____ 你家 _____ 学校要多长时间？ （从 离 到）

三 选择适当的问句或答句 Choose and Complete

1. **A**： 你每天预习多长时间生词？

     B： _____

     ☐ 我预习了半个多小时。

     ☐ 我预习半个多小时。

2. **A**： _____

     B： 我学了两年汉语了。

     ☐ 你什么时候学习汉语？

     ☐ 你学了多长时间汉语了？

207

四 填写并完成对话 Fill in the Blanks and Complete the Conversations

A： 对不起。我来晚了。

B： _____。

A： _____？ （多长时间）

B： 我才等了十几分钟。_____？ （怎么）

A： 路上堵车。

B： 从你家到学校_____？ （多长时间）

A： 从我家到学校平时只用二十多分钟就能到，今天用了一个多小时才到。

五 朗读短文 Read Aloud

　　我的中国朋友李明在我们学校学习日语。他才学了两个多月。我以为他学了一年多了。他日语说得很流利！他告诉我他的学习方法，就是每天念十几分钟的课文，听半个小时的课文录音，做一个多小时的作业，还跟一个日本朋友聊半小时天。我也要用他的方法学习汉语。

　　Wǒ de Zhōngguó péngyou Lǐ Míng zài wǒmen xuéxiào xuéxí rì yǔ. Tā cái xué le liǎng ge duō yuè. Wǒ yǐwéi tā xué le yì nián duō le. Tā rì yǔ shuō de hěn liúlì! Tā gàosu wǒ tā de xuéxí fāngfǎ, jiùshì měitiān niàn shí jǐ fēnzhōng de kèwén, tīng bàn ge xiǎoshí de kèwén lùyīn, zuò yí ge duō xiǎoshí de zuòyè, hái gēn yí ge Rìběn péngyou liáo bàn xiǎoshí tiān. Wǒ yě yào yòng tā de fāngfǎ xuéxí Hànyǔ.

六 汉字练习 Chinese Characters

汉字	笔　顺
辅	辅 辅 辅 辅 辅 辅 辅 辅 辅 辅 辅
输	输 输 输 输 输 输 输 输 输 输 输 输 输
快	快 快 快 快 快 快 快
懂	懂 懂 懂 懂 懂 懂 懂 懂 懂 懂 懂 懂 懂 懂 懂

七 语音练习 Pronunciation

西巷有个漆匠。

Xī xiàng yǒu ge qī jiàng.

208

第 23 课

上课了，请进来吧

Shàngkè le, qǐng jìnlái ba

句子 | Sentences

111	It's time for class.	该上课了。
		Gāi shàngkè le.
112	You students out there, please come in.	外边的同学请进来吧。
		Wàibian de tóngxué qǐng jìnlái ba.
113	I'll preview the materials carefully.	我一定好好儿预习。
		Wǒ yídìng hǎohāor yùxí.
114	Need all of this written down?	这些都写在本子上吗？
		Zhèxiē dōu xiě zài běnzi shàng ma?
115	Please hand in yesterday's homework to me, everybody.	请大家把昨天的作业交给我。
		Qǐng dàjiā bǎ zuótiān de zuòyè jiāo gěi wǒ.

第一部分 | Part I

词语 | Words

1.	该……了	gāi……le	it's time...	7.	页	yè	page
2.	出去	chū qù	to go out	8.	过	guò	to come
3.	接	jiē	to recieve	9.	这样	zhèyàng	in this way
4.	大家	dàjiā	everybody	10.	一定	yídìng	surely
5.	打	dǎ	to open (books)	11.	好好儿	hǎohāor	well, carefully
6.	开	kāi	open				

课文一 | Text 1

(Scene: In the classroom, the class is beginning.)

王老师： 该 上课 了。外边 的 同学 请 进来 吧。
Wáng lǎoshī: Gāi shàngkè le. Wàibian de tóngxué qǐng jìnlái ba.

安德鲁： 老师，对不起，我 得 出 去 一 下儿。
Āndélǔ: Lǎoshī, duìbuqǐ, wǒ děi chū qù yíxiàr.

马 克： 你 去 哪儿？
Mǎkè: Nǐ qù nǎr?

安德鲁： 我 去 接 个 电话。
Āndélǔ: Wǒ qù jiē ge diànhuà.

马 克： 快 点儿 回来。
Mǎkè: Kuài diǎnr huílái.

(After a while, Andrew comes back.)

王老师： 请 大家 打 开 书，看 161 页，今天 我们 学习
Wáng lǎoshī: Qǐng dàjiā dǎ kāi shū, kàn yìbǎi liùshíyī yè, jīntiān wǒmen xuéxí

第 二 十 三 课。
dì èrshísān kè.

(Andrew is speaking to Mark in a hushed tone.)

安德鲁： 马克，你 过来，坐 在 我 旁边，我 没 带 书。
Āndélǔ: Mǎkè, nǐ guòlái, zuò zài wǒ pángbiān, wǒ méi dài shū.

王老师： 安德鲁，你 到 前边 来 听写 生词。
Wáng lǎoshī: Āndélǔ, nǐ dào qiánbian lái tīngxiě shēngcí.

安德鲁： 老师，我 没 预习。
Āndélǔ: Lǎoshī, wǒ méi yùxí.

王老师： 你 没 带 书，也 没 预习 生词。这样 怎么 能
Wáng lǎoshī: Nǐ méi dài shū, yě méi yùxí shēngcí. Zhèyàng zěnme néng

学 好 汉语 呢？
xué hǎo Hànyǔ ne?

安德鲁： 老师，今天 回 去 我 一 定 好好儿 预习，明 天
Āndélǔ: Lǎoshī, jīntiān huíqù wǒ yídìng hǎohāor yùxí, míngtiān

我 听写。
wǒ tīngxiě.

注释 | Notes

1. "该……了" It's time …

"该……了" indicates that it is reasonable to estimate or presume a necessary or possible result. It is often used without a subject.

该+V+O+了
（时间到了，）该上课了。
（十二点了，）该睡觉了。
（八点了，）　该出发了。

2. 简单趋向补语（1）Simple complements of direction (1)

Verbs are used with "来" or "去" to indicate the direction of an action. In Chinese, this is called a simple complement of direction. If an action is proceeding towards the speaker or something being referred to, "来" is used; for the opposite, "去" is used.

	进+来/去	
	出+来/去	
⟶　来　⟵	过+来/去　⟵　去　⟶	
	回+来/去	
	上+来/去	
	下+来/去	

例如：请进来。
　　　快回来。
　　　你过来。
　　　我出去一下。

3. "好好儿" Well, carefully

"好好儿" is placed before the verb to function as an adverbial modifier, which means to make something well done. E.g.

1	我一定要好好儿学习。
2	我一定好好儿预习生词。
3	你要好好儿休息。

句型操练 | Pattern Drills

1. 该上课了。
　　该……了。

吃饭　　睡觉　　理发

211

2. 外边的同学请进来吧。
……的同学请……来吧。

 里边 / 出
 下边 / 上
 上边 / 下

3. 我一定好好儿预习。
我一定好好儿……。

复习　　练习书法　　做作业

趁热打铁　Strike While the Iron Is Hot

1. 该上课了，外边的同学请进来吧。
3. 你去哪儿？
5. ……，请你到前边来听写生词。
7. 你这样怎么能学好汉语呢？

2. 老师，对不起，我出去一下。
4. 我去……，马上回来。
6. 老师，我没预习。
8. 今天晚上我一定好好儿预习。

第二部分 | Part II

词语 | Words

1.	把	bǎ	(preposition word)	7.	下	xià	next
2.	这些	zhèxiē	these	8.	雨	yǔ	rain
3.	本子	běnzi	notebook	9.	窗户	chuānghu	window
4.	上	shàng	on, close	10.	拉	lā	to pull
5.	周末	zhōumò	weekend	11.	时候	shíhou	time
6.	交	jiāo	to hand in	12.	灯	dēng	light

212

课文二 | Text 2

(Scene: In the classroom, the last class is finishing.)

马克： 老师，今天的作业是什么？
Mǎkè: Lǎoshī, jīntiān de zuòyè shì shénme?

王老师： 请大家把书打开，看 165 页。今天的作业是
Wáng lǎoshī: Qǐng dàjiā bǎ shū dǎ kāi, kàn yìbǎi liùshíwǔ yè. Jīntiān de zuòyè
第三题、第四题和第六题。
shì dì sān tí, dì sì tí hé dì liù tí.

马克： 这些都写在本子上吗？
Mǎkè: Zhèxiē dōu xiě zài běnzi shàng ma?

王老师： 对。请大家把昨天的作业交给我。
Wáng lǎoshī: Duì. Qǐng dàjiā bǎ zuótiān de zuòyè jiāo gěi wǒ.

马克： 我把作业本忘在家里了。明天给您可以吗？
Mǎkè: Wǒ bǎ zuòyè běn wàng zài jiā lǐ le. Míngtiān gěi nín kěyǐ ma?

王老师： 明天是周末。下星期一交给我吧。
Wáng lǎoshī: Míngtiān shì zhōumò. Xià xīngqīyī jiāo gěi wǒ ba.

马克： 谢谢老师。
Mǎkè: Xièxie lǎoshī.

王老师： 这个周末有雨，大家把窗户关上，把窗帘拉上。
Wáng lǎoshī: Zhège zhōumò yǒu yǔ, dàjiā bǎ chuānghu guān shàng, bǎ chuāng-lián lā shàng.

马克： 走的时候把灯关了。
Mǎkè: Zǒu de shíhou bǎ dēng guān le.

王老师： 好。下课。
Wáng lǎoshī: Hǎo. Xiàkè.

注释 | Notes

1. 表示方位的词 "上" Denoting location with "上"

"上" is a noun of locality and follows a noun to form a phrase of locality.

名词 Noun	上
本子	上
书	上
桌子(desk)	上
椅子(chair)	上

213

2. "上"、"在"、"给"作结果补语　Complements of result with "上", "在", and "给"

① "上" is used as a complement of result to indicate that separate things have been joined together, or that one thing is attached to another.

Subject (S)	Predicate (P)	
	V + 结果补语	O
我	关上	窗户了。
我	拉上	窗帘了。
我	没拉上	窗帘。

② "在" is used as a complement of result to indicate the location or position to which something is placed through an action. The object is a word denoting place.

Subject (S)	Predicate (P)	
	V + 结果补语	O
本子	忘在	家里了。

③ "给" is used as a complement of result to indicate that someone gets something through an action.

Subject (S)	Predicate (P)	
	Subject (S')	Predicate (P') (V + 结果补语)
作业	我	交给老师了。

3. "把"字句（1）Sentences with "把" (1)

The "把" phrase is one in which the preposition "把" and its object function together as an adverbial modifier. The "把" phrase is used to show the action done upon someone or something of definite reference (the object of "把") and to indicate the result of the action, to make the object transposed or change its state.

Subject (S)	Predicate (P)		
	把	O (把的宾语)	V + RC + O
	请把	书	打开。
	请把	作业	交给我。
我	把	窗户	关上了。
我	把	窗帘	拉上了。
我	把	本子	忘在家里了。
	请把	灯	关了。

The negative form of the "把" construction is:

Subject (S)	Predicate (P)		
	把	O (把的宾语)	V + RC + O
他	没把	作业	交给老师。
我	没把	窗户	关上。
我	没把	窗帘	拉上。

句型操练 | Pattern Drills

田字格本　书　练习本

作业本　学生证　护照

1. 这些都写在**本子**上吗？
   这些都写在……上吗？

2. 请大家把**昨天的作业**交给我。
   请大家把……交给我。

趁热打铁　Strike While the Iron Is Hot

1. 老师，今天的作业是什么？

3. 这些都写在本子上吗？

5. 我把作业本……，明天给您可以吗？

7. 走的时候把……。

2. ……。

4. ……，请大家把作业交给我。

6. 可以。今晚有雨，把……。

8. 下课！

词语扩展 | Vocabulary Extension

方 向

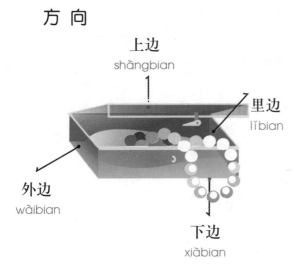

上边
shāngbian

里边
lǐbian

外边
wàibian

下边
xiābian

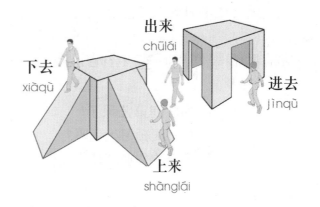

出来
chūlái

下去
xiàqù

进去
jìnqù

上来
shānglái

一 看图回答问题 Look and Answer

他们想做什么？

216

二 双人练习 Pair Work

老　师	学　生
该上课了，外边的同学请进来吧。	老师，对不起，_____。
你出去干什么？	
① 你接完电话快点儿回来。	好！
请你到前边来听写生词。	老师，我_____。
你这样怎么能学好汉语呢？	对不起，我今晚一定_____。

班　长	老　师
	今天的作业是练习三和练习五。
②	对，都写在本子上。_____。
对不起，我把作业本忘在家里了。	那明天把你的作业本交给我吧。
走的时候把灯_____。	晚上有雨，请大家把窗户_____。

三 根据情景作出回答 Give a Response According to the Situation

1. 你学到第几课了！
2. 你每天预习生词吗？
3. 今天的作业是什么？

汉字 | Characters

1. 汉字偏旁 Sides of Chinese Characters（20）

| 攵 fǎn wén pāng | 教 | 页 yè zì pāng | 预 |

2. 汉字组合 Composition of Chinese Characters（20）

反文旁 fǎn wén pāng	孝 + 攵 娄 + 攵	教 数
页字旁 yè zì pāng	予 + 页 川 + 页 是 + 页	预 顺 题

读与写 | Reading and Writing

一 把括号中的词填入适当的位置 Put the Words into the Appropriate Place

1. A 快进来吧，B 上课 C 了。　　　　（该）
2. 请你们 A 作业 B 交给我 C。　　　　（把）
3. 你们把这几道题 A 写 B 在本子 C。　　（上）

二 选词填空 Fill in the Blank

1. 我把作业本子交 _____ 老师了。　（到，在，给）
2. 快 _____ 窗户关上。　　　　　（把，在，给）
3. 请大家把书打 _____。　　　　　（上，开）

三 填写并完成对话 Fill in the Blanks and Complete the Conversations

A：_____。外边的同学请进来吧。（该……了）

B：老师，对不起，我得出去一下儿。

A：_____？　　　　　（哪儿）

B：我去接个电话。

A：_____。　　　　　（快点儿）

B：老师，我回来了。

A：好。今天我们学习第二十三课。

B：_____，看 **161** 页。　　（把）

23 上课了，请进来吧

四 朗读短文 Read Aloud

　　请大家把昨天的作业交给我。今天的作业是……，请大家把书打开，看**165**页。今天的作业是第三题、第四题和第六题。把这些都写在本子上。下星期一交给我。明天是周末，有雨，请大家把窗户关上，把窗帘拉上。走的时候把灯关了。

　　Qǐng dàjiā bǎ zuótiān de zuòyè jiāo gěi wǒ. Jīntiān de zuòyè shì ……, qǐng dàjiā bǎ shū dǎ kāi, kàn yìbǎi liùshíwǔ yè. Jīntiān de zuòyè shì dì sān tí, dì sì tí hé dì liù tí. Bǎ zhèxiē dōu xiě zài běnzi shàng. Xià xīngqīyī jiāo gěi wǒ. Míngtiān shì zhōumò, yǒu yǔ, qǐng dàjiā bǎ chuānghu guān shàng, bǎ chuānglián lā shàng. Zǒu de shíhou bǎ dēng guān le.

五 汉字练习 Chinese Characters

汉　字	笔　　顺
教	教 教 教 教 教 教 教 教 教 教 教
数	数 数 数 数 数 数 数 数 数 数 数 数 数
预	预 预 预 预 预 预 预 预 预 预 预
题	题 题 题 题 题 题 题 题 题 题 题 题 题 题 题

218

六 语音练习 Pronunciation

粉红凤凰飞

fěnhóng fēnghuáng fēi

第 **24** 课

你的口语比我好

Nǐ   de   kǒuyǔ   bǐ   wǒ   hǎo

句 子 | Sentences

116	You speak better Chinese than I do.	你的口语比我好。 Nǐ de kǒuyǔ bǐ wǒ hǎo.
117	My pronunciation and tones are not as good as yours.	我的发音和声调没有你准。 Wǒ de fāyīn hé shēngdiào·méiyǒu nǐ zhǔn.
118	I'm always thinking about pronunciation while speaking.	我总是一边想发音，一边说。 Wǒ zǒng shì yìbiān xiǎng fāyīn, yìbiān shuō.
119	You have five more points than me.	你还比我多5分呢。 Nǐ hái bǐ wǒ duō wǔ fēn ne.
120	I'm not as good as you.	我不如你们。 Wǒ bùrú nǐmen.

第一部分 | Part I

词 语 | Words

1.	举行	jǔxíng	to hold	7.	声	shēng	tone
2.	演讲	yǎnjiǎng	to give a speech	8.	总（是）	zǒng (shì)	always
3.	比赛	bǐsài	contest	9.	一边……一边	yìbiān...yìbiān	while
4.	听说	tīngshuō	to hear of	10.	慢	màn	slow
5.	报名	bàomíng	to enter one's name	11.	参加	cānjiā	to participate
6.	比	bǐ	than	12.	机会	jīhuì	opportunity

课文一 | Text 1

(Scene: Mark is chatting with Karen.)

马克: 卡伦，下个月学校要举行汉语演讲比赛，你知道
Mǎkè: Kǎlún, xià ge yuè xuéxiào yào jǔxíng Hànyǔ yǎnjiǎng bǐsài, nǐ zhīdào

吗?
ma?

卡伦: 我听说了。
Kǎlún: Wǒ tīngshuō le.

马克: 你报名了吗?
Mǎkè: Nǐ bàomíng le ma?

卡伦: 还没有。你的口语比我好，你应该报名。
Kǎlún: Hái méiyǒu. Nǐ de kǒuyǔ bǐ wǒ hǎo, nǐ yīnggāi bàomíng.

马克: 我的发音和声调没有你准。
Mǎkè: Wǒ de fāyīn hé shēngdiào méiyǒu nǐ zhǔn.

卡伦: 可是你的口语比我流利。
Kǎlún: Kěshì nǐ de kǒuyǔ bǐ wǒ liúlì.

马克: 我觉得声调有点儿难。我的三声和四声都
Mǎkè: Wǒ juéde shēngdiào yǒudiǎnr nán. Wǒ de sān shēng hé sì shēng dōu

没有你好。
méiyǒu nǐ hǎo.

卡伦: 是啊，三声太难了。
Kǎlún: Shì a, sān shēng tài nán le.

马克: 你比我好'多了。
Mǎkè: Nǐ bǐ wǒ hǎo duō le.

卡伦: 哪里。我总是一边想发音，一边说，说得比较慢。
Kǎlún: Nǎlǐ. Wǒ zǒng shì yìbiān xiǎng fāyīn, yìbiān shuō, shuō de bǐjiào màn.

马克: 参加演讲比赛是一个好机会。我们可以好好儿
Mǎkè: Cānjiā yǎnjiǎng bǐsài shì yí ge hǎo jīhuì. Wǒmen kěyǐ hǎohaor liànxí yíxià

练习一下发音和声调。
fāyīn hé shēngdiào.

卡伦: 对。我们一起去报名吧。
Kǎlún: Duì. Wǒmen yìqǐ qù bàomíng ba.

注 释 | Notes

"一边……，一边……" At the same time, simultaneously

The "一边……，一边……" construction is used before verbs to indicate two actions are proceeding at the same time. E.g.

> **1.** 我总是一边想发音，一边说汉语。
> **2.** 他喜欢一边听录音一边读课文。
> **3.** 他一边喝咖啡一边跟朋友聊天。

句型操练 | Pattern Drills

1. 你的口语比我好。
你的……比我好。

2. 我的发音和声调没有你准。
我的……没有你（的）……。

3. 我总是一边想发音，一边说。
我总是一边……一边……。

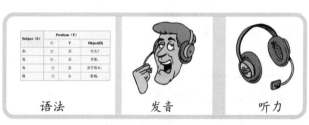

语法　　发音　　听力

宿舍／大　　毛衣／漂亮　　皮鞋／便宜

喝咖啡／跟朋友聊天　　吃饭／看电视

221

趁热打铁　Strike While the Iron Is Hot

2. 还没有，……，你应该报名。

4. 可是你说得……。

6. 是啊，……。

8. 我总是一边……一边……，说得比较慢。

1. 下个月要举行演讲比赛，你报名了吗?

3. 我的发音和声调……。

5. 我觉得声调很难，特别是二声。

7. 你二声发得比我好多了。

9. 这是个练习的好机会，咱们一起去报名吧。

第二部分 | Part II

词语 | Words

1.	考试	kǎoshì	exam		6.	成绩	chéngjì	result
2.	考	kǎo	to take (an exam)		7.	高	gāo	high
3.	得	dé	to get		8.	不如	bùrú	not as good as
4.	分	fēn	score		9.	加油	jiāyóu	to come on
5.	最	zuì	most		10.	超过	chāoguò	to exceed

课文二 | Text 2

(Scene: After taking an exam, Mark and Andrew are talking about the exam.)

安德鲁: 这次考试你考得怎么样?
Āndélǔ:　Zhè cì kǎoshì nǐ kǎo de zěnmeyàng?

马克: 我考得不太好,语法只得了80分。
Mǎkè:　Wǒ kǎo de bú tài hǎo, yǔfǎ zhǐ dé le bāshí fēn.

安德鲁: 这还不好?我得了75分。你还比我多5分呢。
Āndélǔ:　Zhè hái bù hǎo? Wǒ dé le qīshíwǔ fēn. Nǐ hái bǐ wǒ duō wǔ fēn ne.

马克: 你的阅读考得怎么样?
Mǎkè:　Nǐ de yuèdú kǎo de zěnmeyàng?

安德鲁: 70分。你呢?
Āndélǔ:　Qīshí fēn. Nǐ ne?

马克: 我得了85分。卡伦考得最好。她比我多5分。
Mǎkè:　Wǒ dé le bāshíwǔ fēn. Kǎlún kǎo de zuì hǎo. Tā bǐ wǒ duō wǔ fēn.
听力和阅读也都比我好。
Tīnglì hé yuèdú yě dōu bǐ wǒ hǎo.

安德鲁: 你的口语成绩比她高吧?
Āndélǔ:　Nǐ de kǒuyǔ chéngjì bǐ tā gāo ba?

马克: 只比她高一点儿。
Mǎkè:　Zhǐ bǐ tā gāo yìdiǎnr.

安德鲁: 你们都考得很好。我不如你们。
Āndélǔ:　Nǐmen dōu kǎo de hěn hǎo. Wǒ bùrú nǐmen.

马克： 没关系，这次没考好。还有下次呢。
Mǎkè： Méiguānxi, zhè cì méi kǎo hǎo. Hái yǒu xià cì ne.

安德鲁： 对。从明天开始，我要努力学习，每天多听、
Āndélǔ： Duì. Cóng míngtiān kāishǐ, wǒ yào nǔlì xuéxí, měitiān duō tīng,

多说、多练、多跟中国人聊天。
duō shuō, duō liàn, duō gēn Zhōngguórén liáotiān.

马克： 加油。下次我们要超过卡伦。
Mǎkè： Jiāyóu. Xià cì wǒmen yào chāoguò Kǎlún.

注 释 | Notes

1. "比"字句 "A 比 B……" The "比" sentence "A 比 B……"

① the predicate is an adjective.

A	比	B	Adj.
北京	比	上海	大。
安德鲁	比	马克	高。
他的口语	比	我	好。
我的口语	比	他	流利。

Note: Adverbs such as "很", "真", and "非常" CANNOT be used before the adjective.

② The predicate is a verb.

A	比	B	V+O
我	比	他	喜欢音乐。
安德鲁	比	马克	喜欢学习。

③ The verb is used with a complement of manner.

A	比	B	V + 得 + 状态补语
他	比	我	说得好。
卡伦	比	马克	说得流利。

A	V得	比	B	状态补语
他	说得	比	我	好。
卡伦	说得	比	马克	流利。

④ "A 不比 B……" means "A 跟 B 差不多" and is usually used to express disagreement. E.g.

A：你比他大，对吗？

B：不，我不比他大。

223

2. "A 有 B 这么/那么……" 表示比较 "A 有 B 这么/那么……" indicates comparison

① The affirmative form "A 有 B 这么/那么" is used mostly in questions, including rhetorical questions. E. g.

(1) **A：**你有他那么大吗?

　　B：没有，我没有他大。

(2) **A：**他有你说得这么好吗?

　　B：没有，他没有我说得这么好。

② The negative form "A 没有 B 这么/那么……" is used mostly in indicative sentences.

A	没有	B	这么/那么 Adj.
我的英语	没有	他	那么好。
马克	没有	安德鲁	那么高。
他的口语	没有	我	这么流利。

3. "A 不如 B" 表示比较 "A 不如 B" indicates comparison

"A 不如 B" indicates comparison and means "A is not as good as B". This can be followed by an adjective, but it's optional.

A	不如	B
北京	不如	上海。
他的口语	不如	我。

A	不如	B	Adj.
这件毛衣	不如	那件	贵。
他的口语	不如	我	好。

4. "比" 字句中的补语 Complements in the sentences with "比"

① When talking about the approximate difference between two things or persons, "一点儿" is often used after the adjective to indicate a slight difference, while "多了" or "得多" is often used after the adjective to indicate that the difference is great.

A	比	B	Adj.	一点儿/多了/得多
这件毛衣	比	那件	大	一点儿。
安德鲁	比	马克	高	得多。
他的口语	比	我	好	多了。
我的口语	比	他	流利	一点儿。

② When comparing the specific difference of quantity or degree between two things or persons, complements of quantity should be used.

A	比	B	Adj.	数量补语
他的成绩	比	我	多	五分。
我	比	弟弟	大	三岁。

句型操练 | Pattern Drills

1. 你还比我多5分呢。
　　你还比我……呢。

| 多两分 | 高5cm | 小一岁 |

2. 我不如你们。
　　……不如……。

| 我的宿舍没有
你的大 | 我的毛衣没有
你的漂亮 | 我的鞋子比
你的便宜 |

趁热打铁　Strike While the Iron Is Hot

225

他们考得怎么样？

	卡伦	马克	安德鲁	我
语法	90	80	75	
听力	96	88	82	
阅读	91	85	70	
口语	92	93	85	

词语扩展 | Vocabulary Extension

考 试

HSK（汉语水平考试）
HSK(Hànyǔshuǐpíngkǎoshì)

托福
tuōfú

雅思
yǎsī

一 看图回答问题 **Look and Answer**

你参加过哪些外语考试?

二 双人练习 **Pair Work**

226

A	B
下个月学校要举行汉语演讲比赛,_____?	我听说了。
	我再考虑考虑。你应该报名。
	因为你的口语比我好。
① 我的发音和声调_____。	可是你说得_____。
我觉得声调很难,特别是三声。	是啊,_____。
你比我好多了。	我总是一边_____。
这是个好机会,咱们一起报名参加吧。	

A	B
	这次考试我考得不太好。听力只得了 **80** 分。
② 这还不好? _____。	你的阅读考得怎么样?
	我得了 **85** 分,比你低 **5** 分。
	哪里。我口语只得了 **82** 分,你比我好吧?
	没关系,这次没考好,下次努力。

三 根据情景作出回答 **Give a Response According to the Situation**

1. 你觉得自己哪门课学得最好?

2. 你觉得声调难吗?如果难,哪个声调最难?

3. 你觉得自己的口语怎么样?什么地方有问题? (发音、声调、流利)

1. 汉字偏旁 Sides of Chinese Characters **(21)**

| 夕 | xī zì pāng | 多 | | | 足 | zú zì pāng | 跟 |

2. 汉字组合 Composition of Chinese Characters（21）

夕字旁 xī zì pāng	夕 + 夕	多
	夕 + 口	名
	山 + 夕	岁
足字旁 zú zì pāng	足 + 艮	跟
	足 + 各	路

读与写 | Reading and Writing

一　把括号中的词填入适当的位置 Put the Words into the Appropriate Place

1. 他 A 我 B 说得 C 流利。　　　　　（比 ）
2. 我 A 没有他 B 喜欢 C 游泳。　　　（那么）
3. 他的考试成绩比 A 我 B 高 C。　　（一点儿）
4. 你的听力成绩 A 比我 B 多 C。　　（五分）

二　选词填空 Fill in the Blank

1. 我觉得我的发音 ＿＿＿＿ 卡伦。　　　（不如，没有）
2. 我考得 ＿＿＿＿＿ 他那么好。　　　　（比，没有）
3. 我的口语成绩 ＿＿＿ 安德鲁一样。　　（比，跟）

三　填写并完成对话 Fill in the Blanks and Complete the Conversations

A：＿＿＿＿＿＿＿＿＿＿＿＿＿＿＿？　　（怎么样）

B：我考得不太好，语法只得了 **80** 分。

A：这还不好？我得了 **75** 分。＿＿＿＿。　（比）

A：＿＿＿＿＿＿＿＿＿＿＿＿？　　　（多少）

B：我的阅读得了 **85** 分。＿＿＿＿？　（呢）

A：我得了 **70** 分。＿＿＿＿＿＿＿＿。　（不如）

B：没关系，这次没考好。还有下次呢。

227

四　朗读短文 **Read Aloud**

　　我听说下个月学校要举行汉语演讲比赛。我还没有报名。我觉得马克的口语比我好，也比我流利，他应该报名。可是他觉得他的发音和声调没有我准。他的三声和四声都没有我好。我们都觉得声调有点儿难，特别是三声。我说汉语的时候总是一边想发音，一边说，说得比较慢。参加演讲比赛是一个好机会。我们可以好好儿练习一下发音和声调。我们想一起去报名。

　　Wǒ tīngshuō xià ge yuè xuéxiào yào jǔxíng Hànyǔ yǎnjiǎng bǐsài. Wǒ hái méiyǒu bàomíng. Wǒ juéde Mǎkè de kǒuyǔ bǐ wǒ hǎo, yě bǐ wǒ liúlì, tā yīnggāi bàomíng. Kěshì tā juéde tā de fāyīn hé shēngdiào méiyǒu wǒ zhǔn. Tā de sān shēng hé sì shēng dōu méiyǒu wǒ hǎo. Wǒmen dōu juéde shēngdiào yǒudiǎnr nán, tèbié shì sān shēng. wǒ shuō Hànyǔ de shíhou zǒng shì yìbiān xiǎng fāyīn, yìbiān shuō, shuō de bǐjiào màn. Cānjiā yǎnjiǎng bǐsài shì yí ge hǎo jīhuì. Wǒmen kěyǐ hǎohaor liànxí yíxià fāyīn hé shēngdiào. Wǒmen xiǎng yìqǐ qù bàomíng.

五　汉字练习 **Chinese Characters**

汉字	笔　　顺
多	多 多 多 多 多 多
名	名 名 名 名 名 名
跟	跟 跟 跟 跟 跟 跟 跟 跟 跟 跟 跟 跟
路	路 路 路 路 路 路 路 路 路 路 路 路

六　语音练习 **Pronunciation**

门口有两辆大马车，	你爱拉哪辆拉哪辆。
Ménkǒu yǒu liǎng liàng dà mǎchē,	nǐ ài lā nǎ liàng lā nǎ liàng.

测 验 Test

语音测验 Pronunciation Test (20 points)

一、填写声母。Fill in the blanks with appropriate initials. (5 points)

___ōng___uó	___óu___ú	___í___iǎn	___ū___ǎ	___īng___iāng
中国	邮局	词典	书法	冰箱

二、填写韵母并标上声调。Fill in the blanks with appropriate finals and mark the tones. (5 points)

y(　)y(　)	h(　)l(　)	d(　)ch(　)	y(　)j(　)	sh(　)j(　)
医院	汇率	堵车	眼睛	睡觉

货币	价格
美元	801.65
欧元	1005.2

三、按照示例，把下列双音节词语归类。Classify the following disyllable words, according to the example. (5 points)

| 牛奶 | 同学 | 水平 | 休息 | 飞机 | 电话 | 饺子 | 明天 | 老师 | 认识 |
| 朋友 | 生日 | 合适 | 感冒 | 欢迎 | 包裹 | 演讲 | 客厅 | 日元 | 汉堡 |

[¯ + ¯] 咖啡　　　　　　　　　　[´ + ¯] 昨天

[¯ + ´] 中国　　　　　　　　　　[´ + ´] 学习

[¯ + ˇ] 铅笔　　　　　　　　　　[´ + ˇ] 苹果

[¯ + ˋ] 高兴　　　　　　　　　　[´ + ˋ] 颜色

[¯ + ·] 妈妈　　　　　　　　　　[´ + ·] 名字

[ˇ + ¯] 北京　　　　　　　　　　[ˋ + ¯] 肉丝

[ˇ + ´] 美国　　　　　　　　　　[ˋ + ´] 练习

[ˇ + ˇ] 你好　　　　　　　　　　[ˋ + ˇ] 汉语

[ˇ + ˋ] 努力　　　　　　　　　　[ˋ + ˋ] 介绍

[ˇ + ·] 姐姐　　　　　　　　　　[ˋ + ·] 爸爸

229

四、给下面的句子注音。 Write the *pinyin* for the following sentences. (5 points)

1. 你买英文书还是日文书？

_____

2. 我叫张华，我学习汉语。

_____

● 语法测验 Grammar Test (70 points)

一、选词填空。 Fill in the blanks with the most appropriate words. (22 points, 1 point each)

<table>
<tr><td colspan="2">叫　姓　是　有</td><td colspan="2">什么　谁　怎么　怎么样　哪　哪儿</td></tr>
<tr><td colspan="2">

1. 我们的口语老师_____王。

2. 他_____日本留学生。

</td><td colspan="2">

1. A：你觉得那套房子_____？
   B：很好。

2. 您要_____种邮票？

3. A：你住_____？
   B：我住学生宿舍。

4. 请问，去王府井_____走？

</td></tr>
<tr><td colspan="2">会　能　要　可以　得　想</td><td colspan="2">呢　吗　吧</td></tr>
<tr><td colspan="2">

1. 我不_____做中国菜。

2. 我_____试试吗？

3. 今天我不_____出去，我的朋友来我这儿，我_____等他。

</td><td colspan="2">

1. 我们一周有24节课，你们_____？

2. 做完作业了，我们休息休息_____。

</td></tr>
<tr><td colspan="2">从　离　往　给　在　跟</td><td colspan="2">张　件　双　碗　个　套　瓶　本</td></tr>
<tr><td colspan="2">

1. 你_____这儿一直_____前走，五分钟就到了。

2. 你爸爸_____哪儿工作？

3. 地铁站_____这儿不远。

4. 他的学习方法_____我不一样。

</td><td colspan="2">

1. 我想买一_____英汉词典。

2. 昨天我买了一_____毛衣，两_____皮鞋。

3. 这种电话卡多少钱一_____？

</td></tr>
</table>

二、把括号里的词填入合适的位置。 Put the words into the appropriate place. (10 points, 1 point each)

1．他们 A 也 B 是 C 美国留学生。 （ 都 ）　　　2．我 A 想 B 去图书馆 C 上网。 （ 不 ）

3．A 今天 B 六点 C 起床了。 （ 就 ）　　　4．今天我从图书馆借 A 两本 B 中文书 C。 （ 了 ）

5．我 A 忘了 B 作业 C 带来。 （ 把 ）　　　6．请 A 你们 B 等 C。 （一会儿）

7．你 A 能不能 B 我 C 请个假? （ 替 ）　　　8．昨天我 A 去 B 上课 C。 （没　有）

9．我 A 得 B 跟中国人聊天 C。 （ 多 ）　　　10．玛丽 A 汉语 B 说 C 怎么样? （ 得 ）

三、选择合适的问句或者答句。Choose the most appropriate questions or answers. (12 points)

1． A：
　　 B：我是美国人。
　▨ 你叫什么名字?
　▨ 你是哪国人?

2． A：
　　 B：我家有四口人。
　▨ 你家有多少人?
　▨ 你家有几口人?

3． A：
　　 B：我的电话号码是 62201213。
　▨ 你的电话号码是几?
　▨ 你的电话号码是多少?

4． A：
　　 B：我想去。
　▨ 你想去不去上海?
　▨ 你想不想去上海?

5． A：
　　 B：我学了两年汉语了。
　▨ 你什么时候学习汉语?
　▨ 你学了多长时间汉语了?

6． A：
　　 B：我想租一室一厅一卫。
　▨ 你想租什么样的房子?
　▨ 你想租房子吗?

7． A：
　　 B：我头疼、嗓子疼。
　▨ 你哪儿不舒服?
　▨ 你舒服吗?

8． A：你学了多长时间汉语了?
　　 B：
　▨ 两个多月了。
　▨ 两个几月了。

9． A：你每天复习多长时间?
　　 B：
　▨ 我复习了二十分钟。
　▨ 我复习二十分钟。

10． A：明天你去张华家吗?
　　 B：
　▨ 我不去。
　▨ 我没去。

11． A：你汉语说得真好。
　　 B：
　▨ 哪里哪里。
　▨ 好吧。

12． A：我有点不舒服，不想去上课。
　　 B：
　▨ 你休息一休息吧。
　▨ 你休息休息吧。

四、用括号中的词语完成句子。Complete the sentences with the given words. (4 points, 1 point each)

1. 你去邮局，_____。 （顺便）

2. 我觉得_____。 （越来越）

3. 这次考试_____。 （不如）

4. _____，我们开始上课。 （把）

五、填写并完成对话。Fill in the blanks and complete the conversations. (6 points, 1 point each)

A：_____?

B：我学习汉语。

A：_____?

B：我学了半年了。

A：你们每天几点上课？几点下课？

B：_____。

A：你觉得汉语难不难？

B：_____。

A：汉语的发音、声调、语法、汉字什么最难？

B：_____。

A：_____。

B：哪里哪里。

六、根据实际情况填空。Fill in the blanks according to the situation. (8 points)

我叫_____，我是_____国人。我家有_____口人。

我的电话号码是_____。

我_____年出生，_____岁，我的生日是_____月_____号。

七、按照示例，根据实际情况填表。Fill in the table referring to the example. (8 points)

	Examples （张华）	我
①	我姓张，叫张华。	
	我是中国人。	
	我学习英语。	
	我英语学得不错。	

232

Examples（马克）	我
我学了半年汉语了。	
我一星期有 24 节课。	
我每天读十几分钟的课文， 听半个小时的课文录音， 做一个多小时的作业。	
现在我们学到第二十五课了。	

②

● 汉字测验 Character Test (10 points)

一、看图写汉字。Write the appropriate characters according to the pictures. (3 points)

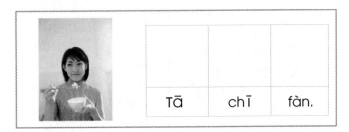

Tā	chī	fàn.

二、选择准确的汉字。Choose the correct character. (5 points)

1. 他汉语说得_____流利。　　　　（跟　很）
2. 我不喜欢吃_____子，喜欢吃包子。（饭　饺）
3. 这种邮_____怎么卖？　　　　　（票　要）
4. 我觉得汉字太_____了。　　　　（谁　难）
5. 你是上海人_____?　　　　　　（吗　妈）

三、填表，使上下左右均连成词。Fill in the forms. (2 points)

词 语 表

A

啊	à/a	7	(叹)
哎呀	āiya	8	(叹)
安德鲁	Āndélǔ	1	(专名)

B

吧	ba	7	(助)
把	bǎ	23	(介)
爸爸	bàba	2	(名)
百	bǎi	11	(数)
半	bàn	8	(数)
办	bàn	14	(动)
帮	bāng	14	(动)
包裹	bāoguǒ	16	(名)
包子	bāozi	13	(名)
报名	bàomíng	24	(动)
北京	Běijīng	4	(专名)
本	běn	11	(量)
本子	běnzi	23	(名)
鼻子	bízi	19	(名)
比	bǐ	24	(介)
比赛	bǐsài	24	(名)
表	biǎo	21	(名)
别	bié	19	(副)
别的	bié de	10	(代)
宾馆	bīnguǎn	5	(名)
冰箱	bīngxiāng	17	(名)
病	bìng	18	(名)
不	bù	2	(副)
不如	bùrú	24	(动)

C

菜	cài	13	(名)
参加	cānjiā	24	(动)
层	céng	9	(量)

查	chá	21	(动)
差	chà	8, 20	(动、形)
长	cháng	22	(形)
常常	chángcháng	13	(副)
超过	chāoguò	24	(动)
超市	chāoshì	17	(名)
成绩	chéngjì	24	(名)
吃	chī	7	(动)
出发	chūfā	8	(动)
出生	chūshēng	7	(动)
出去	chūqù	23	(动)
厨房	chúfáng	17	(名)
穿	chuān	12	(动)
窗户	chuānghu	23	(名)
窗口	chuāngkǒu	16	(名)
窗帘	chuānglián	23	(名)
吹风	chuīfēng	19	(动)
词	cí	21	(名)
词典	cídiǎn	11	(名)
磁带	cídài	11	(名)
从	cóng	9	(介)
存折	cúnzhé	15	(名)
错	cuò	21	(形)

D

打	dá	16	(量)
打	dǎ	23	(动)
打折	dǎzhé	12	(动)
大	dà	12	(形)
大夫	dàifu	6	(名)
大概	dàgài	11	(副)
大家	dàjiā	23	(代)
带	dài	13	(动)
袋	dài	10	(量)
单	dān	16	(名)
当然	dāngrán	11	(副)
丹尼斯·格林	Dānísī Gélín	3	(专名)

到	dào	8	（动）
道	dào	21	（量）
得	de	20	（助）
得	dé	24	（动）
得	děi	14	（能愿动词）
灯	dēng	23	（名）
等	děng	14	（动）
地铁	dìtiě	9	（名）
弟弟	dìdi	6	（名）
第	dì	16	（前缀）
点	diǎn	8	（量）
电话	diànhuà	5	（名）
电视	diànshì	17	（名）
东边	dōngbian	17	（名）
懂	dǒng	22	（动）
都	dōu	2	（副）
堵车	dǔchē	22	（动）
度	dù	18	（名）
短	duǎn	19	（形）
对	duì	4	（形）
对不起	duìbuqǐ	5	
对了	duì le	14	
多	duō	11	（形）
多少	duōshao	5	（代）

F

发烧/烧	fā shāo/shāo	18	（动）
发音	fāyīn	20	（名）
饭	fàn	7	（名）
方便	fāngbiàn	15	（形）
方法	fāngfǎ	22	（名）
房间	fángjiān	5	（名）
房子	fángzi	17	（名）
房租	fángzū	17	（名）
飞机	fēijī	8	（名）
非常	fēicháng	20	（副）
分	fēn	8, 24	（量）
服务员	fúwùyuán	21	（名）
辅导	fǔdǎo	22	（动、名）
附近	fùjìn	15	（名）

G

该…（了）	gāi … (le)	23（能愿动词）	

干	gàn	16	（动）
感冒	gǎnmào	18	（名、动）
刚	gāng	21	（副）
高	gāo	24	（形）
高兴	gāoxìng	3	（形）
告诉	gàosu	22	（动）
哥哥	gēge	6	（名）
个	gè	6	（量）
给	gěi	10、16	
		（动、介）	
跟	gēn	11	（介）
跟…一样	gēn … yíyàng	19	
工作	gōngzuò	6	（名）
公园	gōngyuán	17	（名）
拐	guǎi	9	（动）
关	guān	23	（动）
光临	guānglín	19	（动）
贵	guì	11	（形）
贵姓	guìxìng	3	
国	guó	4	（名）
国际	guójì	16	（名）
过	guò	23	（动）
过奖	guòjiǎng	22	（动）

H

还	huán	10	（副）
还是	háishi	12	（连）
汉堡	hànbǎo	16	（名）
汉语	hànyǔ	4	（名）
汉字	Hànzì	11	（名）
航空	hángkōng	16	（名）
好	hǎo	1	（形）
好好儿	hǎohāor	23	（副）
好久	hǎojiǔ	20	
号	hào	5, 7, 12	（名）
号码	hàomǎ	5	（名）
喝	hē	13	（动）
合适	héshì	12	（形）
和	hé	6	（连）
黑	hēi	12	（形）
很	hěn	2	（副）
后边	hòubian	19	（名）
护士	hùshi	6	（名）

护照	hùzhào	15	（名）
欢迎	huānyíng	19	（动）
还	huán	14	（动）
环境	huánjìng	17	（名）
换	huàn	15	（动）
黄	huáng	19	（形）
汇率	huìlǜ	15	（名）
会	huì	13	（能愿动词）
惠美	Huìměi	3	（专名）

J

机场	jīchǎng	8	（名）
机会	jīhuì	24	（名）
鸡蛋	jīdàn	13	（名）
几	jǐ	5	（代）
纪念	jìniàn	16	（动）
寄	jì	16	（动）
加油	jiāyóu	24	
家	jiā	6	（名）
剪	jiǎn	19	（动）
检查	jiǎnchá	21	（动）
见	jiàn	1	（动）
件	jiàn	12	（量）
讲	jiǎng	22	（动）
交	jiāo	23	（动）
饺子	jiǎozi	13	（名）
叫	jiào	3	（动）
教	jiāo	13	（动）
接	jiē	23	（动）
节	jié	20	（量）
姐姐	jiějie	6	（名）
介绍	jièshào	22	（动）
借	jiè	14	（动）
今天	jīntiān	7	（名）
斤	jīn	10	（量）
就	jiù	17	（副）
举行	jǔxíng	24	（动）
觉得	juéde	13	（动）

K

咖啡	kāfēi	13	（名）
咖啡色	kāfēi sè	12	（名）

卡	kǎ	14	（名）
卡伦	Kǎlún	1	（专名）
开	kāi	23	（动）
开始	kāishǐ	22	（动）
开玩笑	kāiwánxiào	19	
开药	kāi yào	18	
看	kàn	14	（动）
考	kǎo	24	（动）
考虑	kǎolǜ	17	（动）
考试	kǎoshì	24	（名）
可乐	kělè	10	（名）
可能	kěnéng	18	（副）
可是	kěshì	19	（连）
可以	kěyǐ	12	（能愿动词）
刻	kè	8	（名）
客气	kèqi	2	（动）
客厅（厅）	kètīng（tīng）	17	（名）
课文	kèwén	22	（名）
口	kǒu	6	（量）
口语	kǒuyǔ	20	（名）
块	kuài	10	（量）
快	kuài	8	（形）
筷子	kuàizi	13	（名）
矿泉水	kuàngquánshuǐ	21	（名）

L

拉	lā	23	（动）
来	lái	8	（动）
老师	lǎoshī	1	（名）
累	lèi	20	（动）
离	lí	9	（介）
里	lǐ	21	（名）
理发	lǐfà	19	
俩	liǎ	13	（数）
练习	liànxí	11	（动）
凉	liáng	18	（形）
聊天	liáotiān	20	
了	le	5	（助）
零	líng	5	（数）
流利	liúlì	20	（形）
留学生	liúxuéshēng	5	（名）
龙	lóng	7	（名）
楼	lóu	5	（名）

录音	lùyīn	22	（名）
路口	lùkǒu	9	（名）
路上	lùshang	22	（名）

M

妈妈	māma	2	（名）
吗	ma	2	（助）
马克	Mǎkè	1	（专名）
买	mǎi	10	（动）
麦当劳	Màidānglāo	16	（专名）
卖	mài	10	（动）
馒头	mántou	13	（名）
慢	màn	24	（形）
忙	máng	20	（形）
毛	máo	10	（量）
毛衣	máoyī	12	（名）
没关系	méiguānxi	5	
没问题	méi wèntí	14	
没	méi	6	（副）
每	měi	22	（代）
美国	Měiguó	4	（专名）
美元	měiyuán	15	（名）
妹妹	mèimei	6	（名）
米饭	mǐfàn	13	（名）
密码	mìmǎ	15	（名）
面包	miànbāo	10	（名）
面条	miàntiáo	13	（名）
名字	míngzi	3	（名）
明天	míngtiān	1	（名）

N

哪	nǎ	4	（代）
哪儿	nǎr	5	（代）
哪里	nǎlǐ	20	
那边	nàbiān	11	（名）
那儿	nàr	12	（代）
南边	nánbian	17	（名）
难	nán	13	（形）
呢	ne	3	（助）
能	néng	12	（能愿动词）
你	nǐ	1	（代）
你们	nǐmen	1	（代）

年	nián	7	（名）
念	niàn	21	（动）
您	nín	1	（代）
牛奶	niúnǎi	10	（名）
努力	nǔlì	11	（形）

O

哦	ò	21	（叹）

P

旁边	pángbiān	17	（名）
陪	péi	14	（动）
朋友	péngyou	14	（名）
皮鞋	píxié	12	（名）
便宜	piányi	12	（形）
平时	píngshí	22	（名）
苹果	píngguǒ	10	（名）
瓶	píng	10	（量）
普通	pǔtōng	16	（形）

Q

起床	qǐchuáng	8	
千	qiān	15	（数）
铅笔	qiānbǐ	11	（名）
签	qiān	15	（动）
前	qián	9	（名）
前边	qiánbian	19	（名）
钱	qián	10	（名）
请	qǐng	4	（动）
请假	qǐngjià	18	
琼斯	Qióngsī	3	（专名）
取	qǔ	15	（动）
去	qù	8	（动）

R

染发	rǎnfà	19	
人	rén	4	（名）
人民币	rénmínbì	15	（名）
认识	rènshi	3	（动）

日本	Rìběn	14	（专名）	
日语	rì yǔ	22	（名）	
日元	rìyuán	15	（名）	
容易	róngyì	19	（形）	
肉	ròu	13	（名）	

S

嗓子	sǎngzi	18	（名）	
上	shang/shàng	23	（动）	
上/下课	shàng/xià kè	8		
上海	Shànghǎi	4	（专名）	
上网	shàngwǎng	14		
上午	shàngwǔ	8	（名）	
生词	shēng cí	21	（名）	
生日	shēngri	7	（名）	
声	shēng	24	（名）	
声调	shēngdiào	20	（名）	
师傅	shīfu	13	（名）	
十字路口	shízì lùkǒu	9		
什么	shénme	3	（代）	
什么样	shénmeyàng	16		
时候	shíhou	23	（名）	
时间	shíjiān	22	（名）	
食堂	shítáng	13	（名）	
试	shì	12	（动）	
试衣间	shìyījiān	12	（名）	
是	shì	4	（动）	
手机	shǒu jī	5	（名）	
书	shū	14	（名）	
书店	shūdiàn	11	（名）	
舒服	shūfu	18	（形）	
输入	shūrù	15	（动）	
属	shǔ	7	（动）	
数	shǔ	15	（动）	
双	shuāng	12	（量）	
谁	shuí	4	（代）	
水	shuǐ	18	（名）	
水平	shuǐpíng	19	（名）	
睡觉	shuìjiào	18		
说	shuō	20	（名、动）	
死	sǐ	20	（形）	
宿舍	sùshè	5	（名）	

随便	suíbiàn	22	（副）	

T

他	tā	2	（代）	
她	tā	3	（代）	
太	tài	11	（副）	
汤	tāng	13	（名）	
套	tào	17	（量）	
特别	tèbié	20	（副）	
特价	tèjià	10	（名）	
疼	téng	18	（形）	
题	tí	21	（名）	
体温表	tǐwēn biǎo	18	（名）	
替	tì	14	（介）	
田字格	tiánzìgé	11	（名）	
听	tīng	22	（动）	
听力	tīng lì	20	（名）	
听说	tīng shuō	24		
听写	tīngxiě	21	（动）	
同学	tóngxué	4	（名）	
头	tóu	18	（名）	
头发	tóu fa	19	（名）	
图书馆	túshūguǎn	14	（名）	

W

外边	wàibian	15	（名）	
完	wán	21	（动）	
晚	wǎn	22	（形）	
晚上	wǎnshang	7	（名）	
碗	wǎn	13	（名）	
万	wàn	15	（数）	
王	Wáng		（专名）	
王府井	Wángfǔjǐng	9	（专名）	
往	wǎng	9	（介）	
忘	wàng	5	（动）	
为什么	wèishénme	13		
卫生间（卫）	wèishēngjiān（wèi）	17	（名）	
问	wèn	4	（动）	
我	wǒ	3	（代）	
我们	wǒmen	7	（代）	
卧室（室）	wòshì（shì）	17	（名）	

X

西药	xīyào	18	（名）
洗	xǐ	19	（动）
洗衣机	xǐyījī	17	（名）
喜欢	xǐhuan	12	（动）
下（星期）	xià(xīngqī)	23	
下午	xiàwǔ	8	（名）
先	xiān	22	（副）
先生	xiānsheng	15	（名）
现在	xiànzài	8	（名）
香蕉	xiāngjiāo	10	（名）
想	xiǎng	11	
			（动、能愿动词）
橡皮	xiàngpí	11	（名）
小	xiǎo	12	（形）
小姐	xiǎojiě	15	（名）
小区	xiǎoqū	17	（名）
小时	xiǎoshí	15	（名）
谢谢	xièxie	2	（动）
信封	xìnfēng	16	（名）
星期	xīngqī	7	（名）
行	xíng	16	（形）
姓	xìng	3	（动）
休息	xiūxi	18	（动）
学生	xuésheng	6	（名）
学生证	xuéshēng zhèng	14	（名）
学习	xuéxí	4	（动）
学校	xuéxiào	17	（名）

Y

严重	yánzhòng	18	（形）
颜色	yánsè	12	（名）
眼睛	yǎnjing	19	（名）
演讲	yǎnjiǎng	24	（名）
样	yàng	19	（名）
药	yào	18	（名）
药方	yàofāng	18	（名）
药房	yàofáng	18	（名）
要	yào	10	
			（动、能愿动词）
要紧	yàojǐn	18	（形）

要求	yāoqiú	22	（名）
也	yě	2	（副）
页	yè	23	（名）
一边……一边	yìbiān ... yìbiān	24	
一点儿	yìdiǎnr	12	
一定	yídìng	23	（副）
一共	yígòng	10	（副）
一会儿	yíhuìr	22	（副）
一起	yìqǐ	7	（副）
一直	yìzhí	9	（副）
医院	yīyuàn	6	（名）
以后	yǐhòu	20	（名）
以为	yǐwéi	22	（动）
意思	yìsi	21	（名）
音	yīn	20	（名）
应该	yīnggāi	17	（能愿动词）
英文	yīngwén	14	（名）
英语	Yīngyǔ	4	（名）
用	yòng	7	（动）
邮局	yóujú	16	（名）
邮票	yóupiào	16	（名）
游泳	yóuyǒng	18	
友谊宾馆	Yǒuyì Bīnguǎn	5	（专名）
有	yǒu	6	（动）
有点儿	yǒudiǎnr	12	
右	yòu	9	（名）
鱼香肉丝	yúxiāng ròusī	13	（专名）
雨	yǔ	23	（名）
语法	yǔfǎ	22	（名）
预习	yùxí	21	（动）
远	yuǎn	9	（形）
元	yuán	15	（名）
月	yuè	7	（名）
阅读	yuèdú	20	（名）
阅览室	yuèlǎn shì	14	（名）
越来越	yuè lái yuè	20	
运动场	yùndòngchǎng	17	（名）

Z

再	zài	19	（副）
再见	zàijiàn	1	（动）
在	zài	6、9	（介、动）

第一课 你好

1. 你好!
2. 您好!
3. 你们好!
4. 再见!
5. 明天见!

第二课 你好吗

6. 你好吗?
7. 我很好。
8. 他们都很好。
9. 谢谢!
10. 不客气!

第三课 你叫什么名字

11. 你叫什么名字?
12. 我叫卡伦。你呢?
13. 很高兴认识你。
14. 您贵姓?
15. 我姓王。

第四课 你是哪国人

16. 你是哪国人?
17. 我是中国人。
18. 你是上海人吗?
19. 我不是上海人。
20. 他是谁?

第五课 你住哪儿

21. 你住哪儿?
22. 你住几号楼?
23. 你的房间号是多少?
24. 我住留学生宿舍6号楼214
房间。
25. 你的电话号码是多少?

第六课 你家有几口人

26. 你家有几口人?
27. 我家有三口人。
28. 你爸爸做什么工作?
29. 你有姐姐吗?
30. 你姐姐在哪儿工作?

241

第七课 今天几号

31. 今天几号?
32. 今天星期几?
33. 他1988年出生,属龙。
34. 今天不是星期四,昨天星
期四。
35. 今天是你的生日。

第八课 现在几点

36. 现在几点?
37. 我八点上课。
38. 飞机几点到?
39. 你明天下午有课吗?
40. 我差一刻两点出发。

第九课 地铁站在哪儿

41. 请问,去留学生宿舍楼怎
么走?
42. 一直往前走,到路口往
左拐。
43. 你知道去王府井怎么走
吗?
44. 地铁站在哪儿?
45. 地铁站离这儿远吗?

Lesson 3 What's your name
11.Nǐ jiào shénme míngzi?
What's your name?
12.Wǒ jiào Kǎlún. Nǐ ne?
My name is Karen. And you?
13.Hěn gāoxìng rènshi nǐ.
Glad to meet you.
14.Nín guìxìng?
What's your surname?
15.Wǒ xìng Wáng.
I'm surnamed Wang.

Lesson 2 How are you
6.Nǐ hǎo ma?
How are you?
7.Wǒ hěn hǎo.
I'm fine.
8.Tāmen dōu hěn hǎo.
They are both fine.
9.Xièxiē!
Thank you!
10.Bú kèqi!
You are welcome!

Lesson 1 Hello
1. Nǐ hǎo!
Hello!
2. Nín hǎo!
Hello! (polite form)
3.Nǐmen hǎo!
Hello! (plural form)
4.Zàijiàn!
Bye!
5.Míngtiān jiàn!
See you tomorrow!

Lesson 6 How many people are there in your family
26.Nǐ jiā yǒu jǐ kǒu rén?
How many people are there in your family?
27.Wǒ jiā yǒu sān kǒu rén.
There are three people in my family.
28.Nǐ bàba zuò shénme gōngzuò?
What does your father do?
29.Nǐ yǒu jiějie ma?
Do you have any sisters?
30.Nǐ jiějie zài nǎr gōngzuò?
Where does your sister work?

Lesson 5 Where do you live
21.Nǐ zhù nǎr?
Where do you live?
22.Nǐ zhù jǐ hào lóu?
What's your building number?
23.Nǐ de fángjiān hào shì duōshao?
What's your room number?
24.Wǒ zhù liúxuéshēng sùshè liù lóu èrlíngyāo fángjiān.
I live in room 201, international students' dormitory building 6.
25.Nǐ de diànhuà hàomǎ shì duōshao?
What's your telephone number?

Lesson 4 What nationality are you
16.Nǐ shì nǎ guó rén?
What nationality are you?
17.Wǒ shì Zhōngguórén.
I'm a Chinese.
18.Nǐ shì Shànghǎirén ma?
Are you from Shanghai?
19.Wǒ bú shì Shànghǎirén.
I'm not from Shanghai.
20.Tā shì shuí?
Who is he?

Lesson 9 Where is the subway station
41.Qǐngwèn, qù liúxuéshēng sùshè lóu zěnme zǒu?
Excuse me, how do I get to the international students' dormitory?
42.Yìzhí wǎng qián zǒu, dào lùkǒu wǎng zuǒ guǎi.
Go straight and turn left at the first intersection.
43.Nǐ zhīdào qù Wángfǔjǐng zěnme zǒu ma?
Do you know how to get to Wangfujing?
44.Dìtiě zhàn zài nǎr?
Where is the subway station?
45.Dìtiě zhàn lí zhèr yuǎn ma?
Is the subway station far from here?

Lesson 8 What time is it now
36.Xiànzài jǐ diǎn?
What time is it now?
37.Wǒ bā diǎn shàngkè.
I have class at 8 o'clock.
38.Fēijī jǐ diǎn dào?
When will the airplane arrive?
39.Nǐ míngtiān xiàwǔ yǒu kè ma?
Do you have class tomorrow afternoon?
40.Wǒ chà yí kè liǎng diǎn chūfā.
I'll set out at a quarter to 2.

Lesson 7 What's the date today
31.Jīntiān jǐ hào?
What's the date today?
32.Jīntiān xīngqī jǐ?
What day is today?
33.Tā yījiǔbābā nián chūshēng, shǔ lóng.
He was born in 1988, the year of the dragon.
34.Jīntiān bú shì xīngqīsì, zuótiān xīngqīsì.
Today is not Thursday, yesterday was Thursday.
35.Jīntiān shì nǐ de shēngri.
Today is your birthday.

第十课 苹果多少钱一斤

46. 苹果多少钱一斤？
47. 还要别的吗？
48. 给你钱。
49. 面包怎么卖？
50. 这是五十块，找您三十五块七。

第十一课 你想买什么

51. 我想买田字格本。
52. 你怎么买这么多？
53. 下午我去书店，你去不去？
54. 我去买磁带。
55. 大概二十多块钱。

第十二课 我可以试试吗

56. 我可以试试吗？
57. 你穿多大号的？
58. 这件有点儿小，有没有大一点儿的？
59. 黑的还是咖啡色的？
60. 能便宜一点儿吗？

第十三课 我想吃包子

61. 我要一碗米饭和一个带肉的菜。
62. 汤呢？
63. 你常常吃馒头和包子，为什么？
64. 我不会用筷子。
65. 太好了。

第十四课 我去图书馆借书

66. 我想去图书馆借书。
67. 我想借几本英文书。
68. 英文书在二层，中文书在三层。
69. 你能替我还一本书吗？
70. 我去借书，顺便帮你还书。

第十五课 我换人民币

71. 小姐，我换人民币。
72. 今天的汇率是多少？
73. 这是一千五百八十元人民币，你数数。
74. 您取多少钱？
75. 请问，附近有自动取款机吗？

243

第十六课 我妈妈给我寄了一个包裹

76. 我妈妈给我寄了一个包裹。
77. 请问在哪儿卖信封和邮票？
78. 在左边第四个窗口。
79. 师傅，我买一打航空信封、十张邮票。
80. 五张三块的，五张两块的。

第十七课 我想租一套带厨房的房子

81. 留学生宿舍不是很好吗？
82. 我想租一套带厨房的房子。
83. 小区环境怎么样？
84. 小区东边是一个公园。
85. 你应该多看看。

第十八课 你哪儿不舒服

86. 昨天我去游泳了。
87. 你吃药了吗？
88. 可能有点儿发烧。
89. 你哪儿不舒服？
90. 我给你开点儿药。

Lesson 12 Can I try it on

56.Wǒ kěyǐ shìshi ma?

Can I try it on?

57.Nǐ chuān duō dà hào de?

What size do you wear?

58.Zhè jiàn yǒudiǎnr xiǎo, yǒu méiyǒu dà yìdiǎnr de?

This one is a little bit small, do you have a larger one?

59.Hēi de háishi kāfēi sè de?

Black or brown?

60.Néng piányi yìdiǎnr ma?

Can you go a little cheaper?

Lesson 11 What do you want to buy

51.Wǒ xiǎng mǎi tiānzìgé běn.

I want to buy some checked writing pads books.

52.Nǐ zěnme mǎi zhème duō?

Why do you buy so many?

53.Xiàwǔ wǒ qù shū diàn, nǐ qù bu qù?

I'll go to the book store this afternoon, will you come?

54.Wǒ qù mǎi cídài.

I'm going to buy some tapes.

55.Dàgài èrshí duō kuài qián.

More than 20 kuai.

Lesson 10 How much is 500g of apples

46.Píngguǒ duōshao qián yì jīn?

How much is 500g of apples?

47.Hái yào bié de ma?

Do you want anything else?

48.Gěi nǐ qián.

Here is the money.

49.Miànbāo zěnme mài?

How much is the bread?

50.Zhè shì wǔshí kuài, zhǎo nín sān shíwǔ kuài qī.

It's 50 kuai , and here is 35 kuai and 7 mao change.

Lesson 15 I want to exchange some money

71. Xiǎojiě, wǒ huàn rénmínbì.

Miss, I want to exchange some money.

72. Jīntiān de huìlǜ shì duōshao?

What's the exchange rate today?

73. zhè shì yìqiān wǔbǎi bāshí yuán rénmínbì, nǐ shǔshu.

Here is 1580 Yuan, and you can count it.

74. nín qǔ duōshao qián?

How much do you want to withdraw?

75. qǐngwèn, fùjìn yǒu zìdòng qǔ kuǎn jī ma?

Excuse me, is there any ATM near here?

Lesson 14 I go to the library and borrow some books

66. Wǒ xiǎng qù túshūguǎn jiè shū.

I want to go to the library and borrow some books.

67. Wǒ xiǎng jiè jǐ běn yīng wén shū.

I want to borrow several English books.

68. Yīng wén shū zài èr céng, Zhōngwén shū zài sān céng.

English books are on the second floor and Chinese books are on the third floor.

69. Nǐ néng tì wǒ huàn yì běn shū ma?

Can you return a book for me?

70. Wǒ qù jiè shū, shùnbiàn bāng nǐ huàn shū.

I'm going to borrow some books, so I can turn the book for you too.

Lesson 13 I want to eat some steamed stuffed buns

61. Wǒ yào yì wǎn mǐfàn hé yí ge dài ròu de cài.

I want a bowl of rice and a dish with meat.

62. Tāng ne?

Where is the soup?

63. Nǐ chángcháng chī mántou hé bāozi, wèishénme?

You often eat steamed buns and steamed stuffed buns, why?

64. Wǒ bú huì yòng kuàizi.

I can't use chopsticks.

65. Tài hǎo le.

Great.

Lesson 18 What's wrong with you

86. Zuótiān wǒ qù yóuyǒng le.

I went swimming yesterday.

87. Nǐ chī yào le ma?

Did you take your medicine?

88. Kěnéng yǒudiǎnr fāshāo.

I guess I have got a bit of fever.

89. Nǐ nǎr bù shūfu?

What's wrong with you?

90. Wǒ gěi nǐ kāi diǎnr yào.

I'll prescribe some medicine for you.

Lesson 17 I want to rent an apartment with a kitchen

81. Liúxuéshēng sùshè bú shì hěn hǎo ma?

The international students' dormitory is pretty good, isn't it?

82. Wǒ xiǎng zū yí tào dài chúfáng de fángzi.

I want to rent a flat with a kitchen.

83. Xiǎoqū huánjìng zěnmeyàng?

How is the environment in the neighborhood?

84. Xiǎoqū dōngbian shì yí ge gōngyuán.

There is a park on the east neighborhood.

85. Nǐ yīnggāi duō kànkan.

You should take a look at other places.

You've caught a cold, haven't you?

Lesson 16 My mother has sent me a parcel by mail

76. Wǒ māma gěi wǒ jì le yí ge bāoguǒ.

My mother has sent me a parcel by mail.

77. Qǐngwèn zài nǎr mǎi xìnfēng hé yóupiào?

Excuse me, where can I buy envelopes and stamps?

78. Zài zuǒbian dì sì ge chuāngkǒu.

The fourth window from the left.

79. Shīfu, wǒ mǎi yì dǎ hángkōng xìnfēng, shí zhāng yóupiào.

I want a dozen air-mail envelopes and ten stamps, sir.

80. Wǔ zhāng sān kuài de, wǔ zhāng liǎng kuài de.

Five for 3 kuai stamps and five for 2 kuai ones.

第十九课 你想剪什么样的

91. 你想剪什么样的?
92. 你看看怎么样?
93. 你头发的颜色跟中国人一样。
94. 别开玩笑了。
95. 染发很容易,学汉语不太容易啊!

第二十课 你汉语说得很流利

96. 你汉语说得很流利。
97. 王老师教我们口语。
98. 我说得怎么这么差?
99. 哪里,还差得远呢。
100. 我们学的汉字越来越多。

第二十一课 你看见我的词典了没有

101. 你看见我的词典了没有?
102. 我念对了吗?
103. 你怎么知道这个词?
104. 你们学到第几课了?
105. 第22课的生词你预习好了没有?

第二十二课 你学日语学了多长时间了

106. 你学日语学了多长时间了?
107. 我学了三个多月了。
108. 能告诉我你的学习方法吗?
109. 从我家到学校平时只用二十多分钟就能到。
110. 我们一会儿再开始辅导吧。

第二十三课 上课了,请进来吧

111. 该上课了。
112. 外边的同学请进来吧。
113. 我一定好好儿预习。
114. 这些都写在本子上吗?
115. 请大家把昨天的作业交给我。

第二十四课 你的口语比我好

116. 你的口语比我好。
117. 我的发音和声调没有你准。
118. 我总是一边想发音,一边说。
119. 你还比我多5分呢。
120. 我不如你们。

245

Lesson 21 Have you seen my dictionary
101. Nǐ kànjiàn wǒ de cídiǎn le méiyǒu?
Have you seen my dictionary?
102. Wǒ niàn duì le ma?
Did I pronounce it correctly?
103. Nǐ zěnme zhīdào zhège cí?
How do you know this word?
104. Nǐmen xué dào dì jǐ kè le?
Which lesson are you going to learn?
105. Dì èrshíèr kè de shēngcí nǐ yù xí hǎo le méiyǒu?
Have you previewed the new words of Lesson 22?

Lesson 20 Your Chinese is very fluent
96. Nǐ Hànyǔ shuō de hěn liúlì.
Your speak Chinese fluently.
97. Wáng lǎoshī jiāo wǒmen kǒuyǔ.
Miss Wang teaches us spoken Chinese.
98. Wǒ shuō de zěnme zhème chà?
How can I speak so poorly like this?
99. Nǎlǐ, hái chà de yuǎn ne.
I'm afraid not . It's far from good enough.
100. Wǒmen xué de hànzì yuè lái yuè duō.
We have learned more and more characters.

Lesson 19 How do you like your haircut
91. Nǐ xiǎng jiǎn shénme yàng de?
How do you like your haircut?
92. Nǐ kànkan zěnmeyàng?
What do you think?
93. Nǐ tóufa de yánsè gēn Zhōngguórén yíyàng.
Your hair color is the same as that of Chinese people.
94. Bié kāiwánxiào le.
Stop joking.
95. Rǎn fà hěn róngyì, xué Hànyǔ bù tài róng yì a.
Coloring your hair is very easy, but learning Chinese is not easy.

Lesson 24 You speak better Chinese than I do
116. Nǐ de kǒuyǔ bǐ wǒ hǎo.
You speak better Chinese than I do.
117. Wǒ de fāyīn hé shēngdiào méiyǒu nǐ zhǔn.
My pronunciation and tones are not as good as yours.
118. Wǒ zǒng shì yībiān xiǎng fāyīn, yībiān shuō.
I'm always thinking about the pronunciation while speaking.
119. Nǐ hái bǐ wǒ duō wǔ fēn ne.
You have got five more scores than me.
120. Wǒ bùrú nǐmen.
I'm not as good as you.

Lesson 23 Class begins, please come in
111. Gāi shàngkè le.
It's time for class.
112. Wàibian de tóngxué qǐng jìnlái ba.
You students out there, pleas come in.
113. Wǒ yídìng hǎohǎor yùxí.
I'll preview the materials carefully.
114. Zhèxiē dōu xiě zài běnzi shàng ma?
Need all of this written down?
115. Qǐng dàjiā bǎ zuótiān de zuòyè jiāo gěi wǒ.
Please hand in yesterday's homework to me, everybody.

Lesson 22 How long have you been studying Japanese
106. Nǐ xué rì yǔ xué le duō cháng shíjiān le?
How long have you been studying Japanese?
107. Wǒ xué le sān ge duō yuè le.
I've studied for a little more than three months.
108. Néng gàosù wǒ nǐ de xuéxí fāngfǎ ma?
Can you tell me about your methods to study it?
109. Cóng wǒ jiā dào xuéxiào píng shí zhǐ yòng èr shí duō fēnzhōng jiù néng dào.
It usually takes me just a little more than twenty minutes to get school from my home.
110. Wǒmen yíhuìr zài kāishǐ fǔdǎo ba.
Let's start tutoring after a while.

图书在版编目（CIP）数据

体验汉语基础教程.上/姜丽萍主编.—北京：高等教育
出版社，2006.7（2016.1重印）
ISBN 978-7-04-020313-4

Ⅰ.体… Ⅱ.姜… Ⅲ.汉语-对外汉语教学-教
材 Ⅳ.H195.4

中国版本图书馆CIP数据核字（2006）第072080号

策划编辑	祝大鸣 梁 宇	责任编辑 梁 宇		封面设计 宿燕燕	责任绘图 吉祥物语
插图选配	梁宇 陆 玲	版式设计 刘 艳		责任校对 梁 宇	责任印制 刘思涵

出版发行	高等教育出版社	咨询电话	400-810-0598
社　　址	北京市西城区德外大街4号	网　　址	http://www.hep.edu.cn
邮政编码	100120		http://www.hep.com.cn
印　　刷	北京凌奇印刷有限责任公司	网上订购	http://www.landraco.com
开　　本	889×1194　1/16		http://www.landraco.com.cn
印　　张	16.5	版　　次	2006年7月第1版
字　　数	480 000	印　　次	2016年1月第14次印刷
购书热线	010-58581118		

本书如有缺页、倒页、脱页等质量问题，请到所购图书销售部门联系调换　　　ISBN 978-7-04-020313-4
版权所有 侵权必究　　　　　　　　　　　　　　　　　　　　　　　06500
物 料 号 20313-A0